Contes

Grimm

Notes, questionnaires et dossier Bibliocollège
par **Marie-Hélène ROBINOT-BICHET,**
certifiée de Lettres modernes,
professeur en collège

Crédits photographiques

Couverture : illustration de Ludwig Richter, 1870 © Photothèque Hachette Livre. **pp. 4, 7, 18, 28, 34, 43, 45, 47, 60, 63, 69, 80, 81, 87, 92, 96, 97, 106, 109 (haut et bas), 111 : © Photothèque Hachette Livre. pp. 5, 108 (haut et bas), 114 :** © Roger Viollet. **pp. 9, 39, 61, 83 :** © Bibliothèque nationale de France, Paris. **p. 11 :** © Archives LGF. **pp. 21, 22 :** © AKG Paris. **p. 73 :** © Disney.

Deux contes, *Le vaillant petit tailleur et Le grand-père et le petit-fils*, ont été traduits par Mme Robinot-Bichet. Les autres contes ont été adaptés par elle d'après la traduction de Max Buchon (1859).

Conception graphique

Couverture : *Rampazzo & Associés*

Intérieur : *ELSE*

Mise en page

Médiamax

Illustration des questionnaires

Harvey Stevenson

ISBN : 2.01.168684.9

Sommaire

DOSSIER BIBLIOCOLLÈGE

Frontispice de l'édition originale des *Contes*, d'après un dessin de Ludwig Emil Grimm, 1819.

Introduction

Depuis votre plus tendre enfance, vous avez pris plaisir ou peur à écouter les aventures extraordinaires du *Petit Chaperon rouge*, de *Cendrillon* ou de *La Belle au bois dormant*. Sans doute les avez-vous aussi regardées en dessins animés. Mais seriez-vous capables de dire qui en est l'auteur ? Certains donneront « leur langue au chat ». D'autres répondront : « Perrault ! » et ils auront raison. Ces trois contes sont bien au nombre des *Contes du temps passé* publiés par Perrault à la fin du XVIIe siècle. Des collégiens allemands répondraient : « les frères Grimm ! » Et ils auraient raison également ! Ces trois contes appartiennent aussi aux *Contes de l'enfance et du foyer*, publiés entre 1812 et 1815 par deux frères allemands, Jacob (1785-1863) et Wilhelm (1786-1859) Grimm.

C'est parmi ces *Contes de l'enfance et du foyer* qu'ont été choisis les quelques contes que vous allez lire dans ce recueil. Comme Perrault au XVIIe siècle pour la France, les

frères Grimm s'intéressent aux histoires populaires allemandes que racontent les conteuses le soir à la veillée. Ils parcourent l'Allemagne et, très rapidement, se trouvent en possession de plus de deux cents contes qu'ils décident de sauver de l'oubli et de faire connaître aux générations suivantes. C'est pourquoi ils les transcrivent et organisent leur publication. Le livre rencontre un tel succès qu'il perd son titre original et n'est plus appelé que *Contes de Grimm*, titre qui lui est toujours donné aujourd'hui.
Les quelques contes de ce Bibliocollège vous entraîneront plus avant dans le monde des frères Grimm.
Vous serez surpris d'y trouver des contes qui, comme *Le grand-père et le petit-fils*, se contentent de mettre en scène des personnages dans la difficulté de leur vie quotidienne.
Vous serez ravis d'y lire des contes merveilleux dans lesquels vous croiserez des fées, des géants ou des sorcières aux pouvoirs bénéfiques ou maléfiques : les trois étranges fées des *Trois fileuses* qui assurent le bonheur de la jeune héroïne ; la marâtre de *Blanche Neige*, qui vous est déjà familière ; la « méchante fée » qui a ensorcelé le *Roi grenouille* ou encore la sorcière de *Hänsel et Gretel*, dont la délicieuse maison de pain d'épice et de sucre n'est destinée qu'à attirer les enfants qu'elle veut manger. Mais toutes ces vilaines sorcières n'auront pas le dernier mot : dans le monde des contes, les méchants sont punis et les bons récompensés !
Vous serez heureux d'y découvrir les traditions d'un pays d'Europe proche du nôtre et dont certains étudient la langue : *Hänsel et Gretel*, ces enfants abandonnés par leurs parents dans une épaisse forêt et qui triomphent de la sorcière grâce à leur habileté et à leur sagesse, se sont acquis l'admiration et l'amitié de générations d'enfants : en Allemagne, leur popularité est telle qu'ils sont les plus représentés de tous les personnages de contes !

Le roi grenouille

Au temps jadis, où les enchantements étaient encore en usage, vivait un roi dont les filles étaient toutes belles ; mais la plus jeune était si belle que le soleil lui-même, qui en a cependant tant vu, ne pouvait s'empêcher de l'admirer chaque fois qu'il éclairait son visage. Près du château du roi se trouvait une grande forêt sombre, et, dans cette forêt, une fontaine sous un vieux tilleul. Dans la journée, au moment où il faisait le plus chaud, la fille du roi se rendait dans la forêt et s'asseyait au bord de la claire fontaine ; puis, quand elle s'ennuyait, elle prenait une boule d'or qu'elle jetait en l'air et rattrapait au vol, et c'était là son amusement favori.

Or il arriva une fois que la boule d'or de la fille du roi ne retombe pas dans sa petite main étendue en l'air, mais à terre, d'où elle roula aussitôt dans la fontaine. La fille du roi la suivit des yeux, mais la boule avait disparu, et la fontaine était si profonde qu'on n'en voyait pas le fond. Elle se mit alors à pleurer de plus en plus fort et sans

pouvoir se consoler. Et comme elle pleurait ainsi, voilà
20 qu'une voix lui cria :

– Mais, fille de roi, qu'as-tu donc ? Tu pleures vraiment de façon à attendrir une pierre.

Elle se retourna pour s'assurer d'où venait cette voix, et aperçut une grenouille qui étendait sa tête épaisse et
25 hideuse[1] hors de l'eau.

– Ah ! c'est toi, vieille clapoteuse d'eau[2], lui dit-elle. Je pleure ma boule d'or qui est tombée dans la fontaine.

– Calme-toi. Le mal est réparable ; mais que me donneras-tu si je te rapporte ton jouet ?

30 – Tout ce que tu voudras, ma chère grenouille, répondit-elle. Mes habits, mes perles, mes diamants, et même la couronne d'or que je porte.

– Je ne veux ni tes habits, ni tes perles, ni tes diamants, ni la couronne d'or que tu portes ; seulement, si tu veux être
35 mon amie, si tu me permets d'être ta camarade et de m'asseoir à côté de toi à table, et de manger dans ta petite assiette d'or, et de boire à ton petit verre, et de coucher dans ton petit lit ; si tu me promets tout cela, je vais plonger jusqu'au fond et te rapporter ta boule d'or.

40 – Oh ! oui ! je te promets tout ce que tu voudras, pourvu que tu me rapportes ma boule.

Mais en même temps, elle se disait :

– Bah ! comment cette sotte grenouille, qui est toujours à coasser dans l'eau avec ses pareilles, deviendrait-elle la
45 camarade d'une personne ?

notes

1. hideuse : d'une laideur qui fait peur.

2. clapoteuse d'eau : sous l'action de la grenouille, l'eau est agitée de clapotis, c'est-à-dire de petites vagues qui font un bruit caractéristique en s'entrechoquant.

Illustration anonyme.

Aussitôt la promesse reçue, la grenouille enfonça sa tête, plongea jusqu'au fond, puis, un moment après, elle revint à la nage ; elle avait la boule dans la gueule, et la jeta dans l'herbe. La fille du roi fut ravie de joie[1], en revoyant son jouet superbe. Elle le ramassa aussitôt, et s'enfuit avec.

– Attends-moi donc ! attends-moi donc ! lui criait la grenouille. Prends-moi dans ta main. Je ne puis pas marcher si vite que toi.

Mais à quoi lui servirent tous ses cris et ses coaks ! coaks ! La fille du roi n'y faisait pas attention et courait toujours vers le château, où elle eut bientôt oublié la pauvre grenouille, qui fut obligée de redescendre dans sa fontaine.

Le lendemain, comme elle venait de se mettre à table avec le roi et toute la cour et qu'elle mangeait dans sa petite assiette d'or, voilà que quelque chose se mit à grimper l'escalier de marbre, en faisant : plitsch ! platsch ! plitsch ! platsch ! et, une fois arrivé au-dessus, cela frappa à la porte en criant :

– Fille du roi ! la plus jeune ! ouvre-moi !

La fille du roi voulut aller voir qui l'appelait ainsi, et voilà qu'en ouvrant la porte, elle aperçut la grenouille. Elle referma alors brusquement, et vint se remettre à table, mais d'un air tout inquiet. Le roi s'aperçut parfaitement que son cœur battait avec violence, et lui dit :

– Mon enfant, de quoi as-tu peur ? Est-ce peut-être un géant qui est à la porte et qui veut t'emporter ?

– Oh ! non ! répondit-elle, ce n'est pas un géant, mais une affreuse grenouille.

note

1. ravie de joie : extrêmement heureuse.

Illustration de E. Payer.

– Et que veut-elle de toi ?

– Mon Dieu ! cher papa ; hier, quand j'étais assise dans le bois, près de la fontaine, à m'amuser, ma boule d'or tomba dans l'eau. Comme je la pleurais bien fort, la grenouille me l'a rapportée, et comme elle y avait mis cette condition, je lui promis qu'elle serait ma camarade, sans m'imaginer qu'elle sortirait jamais de son eau. Maintenant, elle est à la porte et veut entrer.

En effet, on frappait pour la seconde fois, en criant :

« Fille du roi, la plus jeune, ouvre-moi !
Tu n'as pas oublié ce que j'ai fait pour toi,
Quand tu pleurais, hier, au bord de la fontaine,
Pour sauver ton jouet d'une perte certaine. »

– Ce que tu as promis, il faut le tenir, dit le roi. Va lui ouvrir.

Elle alla donc ouvrir la porte, la grenouille entra en sautillant derrière elle jusqu'au pied de sa chaise.

– Allons, maintenant, lève-moi auprès de toi !

Mais la fille du roi s'y refusait, jusqu'à ce que son père le lui ordonne.

Une fois sur la chaise, la grenouille sauta sur la table, et reprit :

– Maintenant, approche un peu ta petite assiette d'or, que nous puissions manger ensemble.

Elle approcha son assiette, mais on voyait bien que c'était à contrecœur.

La grenouille se régalait, mais presque chaque morceau lui bouchait le gosier.

– Allons, j'ai assez mangé, reprit-elle enfin, et je suis fatiguée. Emporte-moi là-haut dans ta petite chambre, et fais apprêter ton petit lit de soie, afin que nous nous reposions ensemble.

La fille du roi se mit alors à pleurer. Elle avait si peur de cette grenouille froide qu'elle n'osait toucher, et qui prétendait cependant coucher dans son petit lit propre ! Mais le roi se fâcha et reprit :

110 – Tu n'as pas le droit de mépriser celle qui t'a secourue dans ta détresse[1]. Prends-la donc avec tes deux doigts, porte-la là-haut, et mets-la dans un coin.

Quand la princesse fut au lit, la grenouille se traîna vers elle en disant :

115 – Je suis fatiguée et je veux dormir aussi bien que toi. Lève-moi près de toi, ou je le dirai à ton père.

La princesse devint furieuse ; elle prit la grenouille et la lança, de toutes ses forces, contre le mur, en s'écriant :

– Tiens ! vilaine grenouille ; repose-toi maintenant à ton
120 aise !

Quand elle retomba, ce n'était plus une grenouille, mais un beau fils de roi, avec des yeux charmants, qui, conformément au vouloir de son père, devint son camarade et son mari. Il lui raconta qu'il avait été ensorcelé par une
125 méchante fée, et que personne n'avait pu le sauver de la fontaine, elle seule exceptée, et que le lendemain ils partiraient pour son royaume. Là-dessus, ils s'endormirent, et le lendemain, quand le soleil les réveilla, une voiture arriva, avec huit chevaux blancs, la tête ornée de plumets blancs, et attelés au
130 moyen de chaînes d'or, sous la conduite du domestique du jeune roi, qui était le fidèle Henry. Le fidèle Henry avait été si désolé en voyant son maître changé en grenouille, qu'il avait fait cercler son cœur de trois cercles de fer, pour l'empêcher d'éclater de douleur et de tristesse.

note

1. détresse : situation très pénible.

135 Mais il fallait que la voiture emmène le jeune roi dans son royaume. Le fidèle Henry les installa tous deux dedans, et remonta par-derrière, tout ravi de joie de cette délivrance. Quand on eut fait un bout de chemin, le fils du roi entendit, derrière lui, un craquement, comme si quelque chose 140 venait de se briser. Il se retourna brusquement en criant :

« Notre voiture Henry, se brise, je te jure !
– Non maître, n'ayez peur. Ce n'est pas la voiture ;
C'est un cercle de fer qui contenait mon cœur,
Constamment sur le point d'éclater de douleur,
145 *Depuis que cette fée, en proie à tant de haine,*
Vous changea en grenouille au fond de la fontaine. »

Un second craquement, puis un troisième se firent entendre le long de la route, ce qui faisait toujours croire au fils de roi que la voiture se brisait, et ce n'étaient pourtant 150 que les deux autres cercles qui sautaient de dessus son cœur, tant il était ravi de voir son maître délivré et rendu au bonheur.

Au fil du texte

Questions sur *Le roi grenouille* (pages 7 à 14)

Avez-vous bien lu ?

1. Quel est le lieu important de ce récit ? Pourquoi ?

2. Comment la jeune fille et la grenouille font-elles connaissance ?

3. Que demande la grenouille en échange du service rendu à la jeune fille ? Justifiez votre réponse à partir du texte.

4. Relevez une phrase montrant que la jeune fille ne pense pas avoir besoin de tenir ses promesses.

5. Quelle est sa réaction lorsque la grenouille vient frapper à sa porte pour obtenir ce qu'elle lui a promis ?

6. Qui lui demande de respecter ses engagements ?

7. Que refuse-t-elle à la grenouille ?

8. Comment veut-elle se débarrasser d'elle ? Quelle est la conséquence de cet acte ?

9. Qui est Henry ? Qu'a-t-il fait pour ne pas mourir de chagrin ?

famille étymologique : **ensemble de mots ayant la même origine et formés sur le même radical.**

Étudier le vocabulaire

10. Précisez, à l'aide d'un dictionnaire, les différents sens du nom « *enchantement* » (l. 1). Quel est le sens utilisé ici ? Donnez un nom, un verbe et un adjectif appartenant à la même famille étymologique*.

11. Dans le texte (l. 121 à 134), trouvez un verbe signifiant : « soumettre à une influence magique malfaisante ». Donnez d'autres mots appartenant à la même famille étymologique. Vous préciserez leur nature et utiliserez chacun d'entre eux dans une phrase de votre composition.

12. Qu'est-ce qu'une *« méchante fée »* (l. 125) ? Aidez-vous des réponses que vous avez données aux questions précédentes pour trouver des noms synonymes* de cette expression. Cherchez l'étymologie* du nom « fée ».

synonymes : **mots qui sont d'un sens très proche.**

étymologie : **étude de l'origine des mots.**

conte merveilleux : **genre caractérisé par la présence d'objets magiques, de personnages, d'événements extraordinaires.**

ÉTUDIER UN GENRE : LE CONTE MERVEILLEUX*

13. Combien de pages compte cette histoire du roi grenouille ?

14. Par quelle formule débute cette histoire ? Quelles autres formules d'ouverture avez-vous déjà rencontrées dans ce type de récit ?

15. Relevez les indications de temps et de lieu fournies au début du récit. Vous permettent-elles de situer précisément quand se déroule cette histoire ?

16. Relevez des personnages, des faits ou des objets qui appartiennent au domaine du merveilleux.

17. Quel(s) proverbe(s) pourrai(en)t illustrer cette histoire ?

18. À partir des réponses données aux questions précédentes, donnez une brève définition du conte merveilleux.

Étudier un thème : la métamorphose*

19. Recherchez d'autres contes de Grimm dans lesquels des êtres humains ont été transformés en animaux.

Lire l'image

20. Décrivez l'illustration de la page 9 et celle de la page 11.

21. Identifiez les personnages présents et le décor en fonction du texte du conte.

22. Ces illustrations correspondent-elles à des passages précis du conte ? Si oui, lesquels ?

À vos plumes !

23. Inventez une courte histoire racontant comment le prince a été ensorcelé et métamorphosé en grenouille par une méchante fée.

24. Le prince arrive dans son royaume, escorté de sa jolie princesse. Imaginez les réactions de ses parents, de la cour, des habitants...
Vous écrirez une trentaine de lignes en utilisant le système du présent* ou du passé*.

métamorphose : **changement de forme ou de nature si important que la personne qui en est l'objet n'est plus reconnaissable.**

système du présent : **système de temps où l'on utilise principalement le présent et le passé composé.**

système du passé : **système de temps où l'on utilise principalement l'imparfait, le passé simple, le plus-que-parfait et le passé antérieur.**

Le loup et les sept cabris

Il était une fois une vieille chèvre qui avait sept cabris, et elle les aimait comme une mère aime ses enfants. Un jour, elle voulut aller au bois pour y chercher de la nourriture. Elle les appela tous les sept autour d'elle et leur dit :

– Chers enfants, je vais au bois. Prenez garde au loup. S'il entrait, il vous mangerait tous, cuir et poil. Le méchant se contrefait[1] souvent, mais vous le reconnaîtrez facilement à sa voix rauque[2] et à ses pieds noirs.

Les cabris répondirent :

– Chère mère, nous ferons bien attention. Vous pouvez partir sans souci.

Là-dessus, la chèvre bêla un coup et se mit en route.

Un instant après, quelqu'un vint frapper à la porte en criant :

notes

1. *se contrefait :* modifie son apparence pour tromper.

2. *rauque :* voix grave et enrouée.

– Ouvrez-moi, chers enfants. C'est votre mère, et elle vous rapporte à tous quelque chose.

Mais les cabris avaient reconnu à la voix rauque que c'était le loup.

20 – Nous ne voulons pas ouvrir, répondirent-ils, tu n'es pas notre mère qui a une voix douce et caressante, tandis que la tienne est rauque. Tu es le loup.

Le loup s'en alla alors chez un marchand, et acheta un gros morceau de craie qu'il mangea pour s'adoucir la voix.
25 Puis il revint, frappa à la porte et cria :

– Ouvrez-moi, chers enfants. C'est votre mère, et elle vous rapporte à tous quelque chose.

Mais le loup avait posé sa patte noire contre la fenêtre. Les cabris la virent et répondirent :

30 – Nous ne voulons pas ouvrir ; notre mère n'a pas de pied noir, comme toi ; tu es le loup.

Le loup courut alors chez un boulanger, et lui dit :

– Je me suis fait mal au pied ; étendez de la pâte dessus.

Et quand le boulanger eut enveloppé sa patte, il courut
35 chez le meunier et lui dit :

– Poudre-moi ma patte de farine blanche.

Le meunier soupçonna que le loup voulait tromper quelqu'un et s'y refusa, mais le loup lui dit :

– Si tu ne le fais pas, je te mange.

40 Alors le meunier eut peur et lui blanchit sa patte. Oui, voilà comme sont les hommes !

Le fripon alla alors, pour la troisième fois, à la porte, frappa et dit :

– Chers enfants, ouvrez-moi. Votre chère petite mère est
45 revenue, et elle vous rapporte de la forêt à tous quelque chose.

– Montre-nous d'abord ta patte, dirent les cabris, afin que nous sachions si tu es notre petite mère.

Alors le loup posa sa patte contre la fenêtre, et quand ils virent qu'elle était blanche, ils crurent que tout était vrai et ouvrirent la porte. Mais qui est-ce qui entra ? Ce fut le loup. Ils eurent grand-peur et voulurent se cacher. L'un sauta sous la table, le second dans le lit, le troisième dans le fourneau, le quatrième dans la cuisine, le cinquième dans le buffet, le sixième sous la terrine à relaver[1], le septième dans la caisse de l'horloge[2]. Mais le loup les trouva tous, et ne fit pas de longs compliments. Il les avala l'un après l'autre dans sa gueule, à l'exception du plus jeune, qu'il ne put trouver dans la caisse de l'horloge.

Quand le loup eut satisfait son envie, il s'en alla se coucher dehors, dans la verte prairie, sous un arbre, et commença à s'endormir.

Bientôt après, la vieille chèvre rentra de la forêt. Ah ! Dieu ! quel spectacle l'attendait ! La porte de la maison était toute grande ouverte. La table, la chaise et les bancs étaient renversés, la terrine à relaver était en morceaux. Les couvertures et coussins avaient été arrachés du lit. Elle cherchait ses enfants, mais ne parvenait pas à les trouver. Elle les appelait par leur nom les uns après les autres, mais personne ne répondait. Enfin, quand elle appela le nom du plus jeune, une petite voix s'écria :

– Chère mère ! je suis caché dans la caisse d'horloge !

Elle le tira dehors, et il lui raconta que le loup était venu et qu'il avait mangé tous les autres. Vous pouvez penser comme elle pleura ses pauvres enfants.

notes

1. terrine à relaver : sorte de cuvette pour la vaisselle.

2. caisse de l'horloge : partie basse de l'horloge ; elle contient le balancier et les poids qui permettent son fonctionnement et se présente comme une sorte de placard.

Illustration de Herbert Rasch.

Enfin, elle ressortit toute désolée, et le plus jeune des cabris lui courut après. Quand elle arriva dans la prairie, le loup était couché sous l'arbre, et ronflait si fort que les branches tremblaient. Elle le regarda de tous côtés, et s'aper-
80 çut que quelque chose remuait et gigotait dans son ventre si rempli.

– Ah ! Dieu ! pensa-t-elle, est-ce que mes pauvres enfants qu'il a avalés pour son souper seraient encore en vie ?

Il fallut que le cabri coure à la maison chercher les
85 ciseaux, une aiguille et du fil. Alors elle ouvrit la panse du monstre, et, dès qu'elle eut commencé à couper, un des cabris sortit sa tête, et, à mesure qu'elle coupait, tous les autres s'échappèrent de même l'un après l'autre, sans avoir

Illustration d'Oskar Herrfurth.

éprouvé le moindre dommage ; car, dans sa gloutonnerie[1],
90 le monstre les avait avalés tout ronds.

C'est ça qui fut une joie ! Ils embrassaient leur chère petite mère et cabriolaient[2] comme un tailleur qui fait la noce.

– Maintenant, leur dit la vieille, allez chercher des pierres pour remplir le ventre de la maudite[3] bête pendant qu'elle
95 dort. Alors, les petits cabris allèrent vite chercher des pierres et les fourrèrent dans le ventre du loup, tant qu'ils en purent fourrer. Puis la vieille le recousit en toute hâte, afin qu'il ne s'aperçoive de rien, et il ne bougea pas même.

Quand le loup eut fini de dormir, il se leva sur ses jambes,
100 et, se sentant pris d'une grande soif, il voulut aller boire à une fontaine. Mais, quand il commença à se mouvoir, les pierres se heurtèrent dans son ventre les unes contre les autres, en faisant du bruit. Alors il s'écria :

« Qu'est-ce qui fait ce vacarme-là
105 *Au fin fond de mon estomac ?*
J'avais avalé des cabris,
Et je suis plein de cailloux gris ! »

Et quand, arrivé à la fontaine, il voulut se pencher sur l'eau pour boire, les lourdes pierres l'entraînèrent dedans, et
110 il se noya misérablement. Quand les sept cabris virent cela, ils accoururent au galop, en criant tout haut :

– Le loup est mort ! le loup est mort !

Et ils se mirent à danser de joie, avec leur mère, autour de la fontaine.

notes

1. gloutonnerie : action de manger beaucoup et très vite.

2. cabriolaient : sautaient dans tous les sens.

3. maudite : détestable parce qu'elle fait du mal.

Au fil du texte

Questions sur *Le loup et les sept cabris* (pages 18 à 23)

Avez-vous bien lu ?

1. Où doit se rendre la vieille chèvre ? Que va-t-elle y chercher ?

2. Pourquoi la chèvre met-elle ses sept cabris en garde contre le loup ?

3. Comment le reconnaîtront-ils à coup sûr ?

4. Combien de fois le loup est-il tenu en échec par les cabris ?

5. Comment le loup réussit-il à les tromper et à pénétrer dans leur maison ?

6. Comment le jeune cabri parvient-il à échapper au loup ?

7. Qu'est-ce qui intrigue la vieille chèvre quand elle regarde le ventre du loup ?

8. Quelle idée lui vient alors à l'esprit ?

9. A-t-elle tort ou raison ? Justifiez votre réponse à partir du texte.

10. Par quoi remplace-t-elle les cabris ?

11. Qu'arrive-t-il au loup ?

Étudier le vocabulaire

12. Complétez les phrases suivantes avec les adjectifs qualificatifs (page 25) qui conviennent. Aidez-vous du dictionnaire si le sens de certains d'entre eux vous est inconnu.

Dans ce conte, le loup est ....

....

Les cabris sont ....

....

menteur(s) – serviable(s) – trompeur(s) – candide(s) – voleur(s) – fourbe(s) – bienfaisant(s) – malfaisant(s) – crédule(s) – pillard(s) – naïf(s) – rusé(s) – confiant(s) – méfiant(s).

13. Les homonymes*

a) Le loup a la *« voix rauque »* (l. 9). Trouvez le plus grand nombre d'homonymes du nom « voix ». Donnez leur nature et leur sens.

b) Dans les lignes 25 à 33, relevez deux noms homonymes.

homonymes : mots qui se prononcent de la même manière mais qui n'ont pas le même sens.

schéma narratif : suite des événements qui constituent les étapes d'un récit.

situation initiale : situation au début du récit ; elle présente le cadre, les personnages, etc.

élément perturbateur : événement qui transforme l'équilibre de la situation initiale.

ÉTUDIER LA GRAMMAIRE : LA CONJUGAISON DU PASSÉ SIMPLE

14. Relevez, lignes 40 à 59 (depuis *« Alors le meunier »* jusqu'à *« caisse de l'horloge »*), les verbes conjugués au passé simple ; classez-les par groupes et donnez leur infinitif.

15. Choisissez, dans le même passage, un verbe de chacun des deux premiers groupes et conjuguez-le au passé simple, à toutes les personnes. Pour le troisième groupe, conjuguez « croire » et « ouvrir ».

16. Quelles remarques pouvez-vous faire sur les terminaisons du passé simple dans ce passage ? Connaissez-vous une autre terminaison du passé simple ?

ÉTUDIER LA STRUCTURE DU CONTE : LE SCHÉMA NARRATIF*

péripéties : suite des actions, des aventures qui font progresser le récit.

élément de résolution : événement qui marque la fin des aventures des héros.

situation finale : situation à la fin du conte ; elle présente le sort des héros à la fin de leurs aventures.

conteur : avant d'être mis par écrit, les contes étaient d'abord des récits oraux ; le conteur était celui qui les racontait dans les campagnes lors des veillées.

système du passé : système de temps où l'on utilise principalement l'imparfait, le passé simple, le plus-que-parfait et le passé antérieur.

17. Repérez la situation initiale* de ce conte.

18. Quel est l'élément perturbateur* ?

19. Quelles sont les principales péripéties* vécues par les cabris ?

20. Quel(s) événement(s), dit(s) élément(s) de résolution*, marque(nt) la fin de leurs aventures ?

21. Donnez la situation finale* de ce conte.

ÉTUDIER LE CONTE : UN RÉCIT ORAL

22. Relevez les quatre phrases dans lesquelles le conteur* donne son avis et s'adresse aux auditeurs. Quel est l'intérêt de ce procédé ?

23. Quelle phrase le conteur répète-t-il trois fois ? Pourquoi ?

24. Dans les lignes 49 à 59 (depuis *« Alors le loup posa »* jusqu'à *« dans la caisse de l'horloge »*), quelle phrase est à la forme interrogative ? Pourquoi ?

ÉTUDIER L'ÉCRITURE

25. Relevez, dans ce conte, tout ce qui assimile le loup, la chèvre et les cabris à des êtres humains.

26. En vous aidant du dictionnaire, dites si l'auteur utilise :
– une comparaison ;
– une personnification.

27. En vous aidant des verbes relevés à la question 14, dites quelle est l'utilisation du passé simple dans un récit écrit au système du passé*.

LIRE L'IMAGE

28. Sur l'illustration de la page 21, quels sont les cabris qui se trouvent dans la position donnée par le texte page 20 ?

29. Quel titre donneriez-vous à l'illustration de la page 22 ?

À VOS PLUMES !

30. Inventez un autre conte qui aura un loup pour héros. Vous respecterez les indications suivantes :
– la situation initiale sera introduite par la phrase suivante : « Il était une fois un pauvre loup qui habitait dans une immense forêt... »
– l'élément perturbateur sera introduit par : « Un jour, alors que le loup était en quête de nourriture, il aperçut... »
Vous continuerez votre récit en vous conformant au schéma narratif mis en évidence aux questions 17 à 21 et rédigerez votre texte au système du passé.

LECTURES : D'AUTRES HISTOIRES DE LOUP !

31. Le loup du *Petit Chaperon rouge*, à découvrir dans la version de Perrault ou dans celle de Grimm (Bibliocollège n° 6, pp. 9 et 107).

32. Le loup, ennemi de Delphine et Marinette, à découvrir dans *Les Contes bleus du chat perché*, « Le loup », de Marcel Aymé.

33. Ysengrin, le loup ennemi de Renart, à découvrir dans *Le Roman de Renart* (Bibliocollège n° 10).

Hänsel et Gretel

Sur la lisière[1] d'un grand bois vivait un pauvre bûcheron avec sa femme et ses deux enfants. Le petit garçon s'appelait Hänsel et la petite fille Gretel. Il avait peu de chose à manger, et, une fois qu'il était survenu une grande famine dans le pays, il ne fut plus dans le cas[2] de gagner son pain quotidien. Le soir, quand il se mettait au lit, plein de pensées et de soucis, il soupirait et disait à sa femme :

– Qu'allons-nous devenir ? Comment pourrons-nous nourrir nos enfants, puisque nous n'avons plus rien pour nous-mêmes ?

– Sais-tu une chose, mon homme ? répondit la femme : demain, tout au matin, nous conduirons les enfants dans le bois, où il est le plus épais ; nous leur ferons du feu, nous leur donnerons à chacun un morceau

notes

1. sur la lisière : en bordure, à la limite.

2. il ne fut plus dans le cas : il ne réussit plus.

de pain, puis nous irons à notre ouvrage et nous les abandonnerons. Ils ne retrouveront plus le chemin pour revenir et nous en serons débarrassés.

– Non, femme, répliqua l'homme, je ne veux pas faire
20 cela. Comment pourrais-je me mettre sur le cœur le reproche d'avoir abandonné mes enfants dans la forêt tout seuls ? Les bêtes sauvages viendraient bientôt les dévorer.

– Imbécile ! reprit la femme, il vaut donc mieux que nous mourrions tous les quatre de faim ? Alors tu n'as qu'à
25 apprêter les planches pour nos cercueils.

Et elle ne lui laissa plus de repos qu'il ne consente[1].

– Ces pauvres enfants me font cependant pitié, soupira l'homme.

La faim empêchait les deux enfants de dormir et ils
30 avaient entendu ce que disait la marâtre[2] à leur père. Gretel pleurait amèrement et disait à Hänsel :

– Nous sommes perdus !

– Calme-toi, Gretel, lui répondit Hänsel ; ne te tourmente pas ; je trouverai le moyen de nous en tirer.

35 Quand les vieux furent endormis, il se leva, mit son petit habit, ouvrit la moitié inférieure de la porte et s'échappa. La lune donnait toute brillante et les petites pierres qui étaient devant la maison reluisaient comme des pièces d'argent. Hänsel se baissa, en bourra ses poches tant qu'elles en purent
40 tenir, puis il rentra et dit à Gretel :

– Console-toi, ma petite sœur, le bon Dieu ne nous abandonnera pas.

Et il se remit au lit.

notes

1. elle ne lui laissa plus de repos qu'il ne consente : elle insista jusqu'à ce qu'il dise oui.

2. marâtre : deuxième femme du père, méchante envers les enfants de celui-ci.

Au point du jour, bien avant le soleil levant, la femme
45 vint réveiller les deux enfants :

– Levez-vous, paresseux ; nous voulons aller à la forêt chercher du bois.

Puis elle leur donna un petit morceau de pain à chacun et leur dit :

50 – Voilà pour votre dîner ; mais ne le mangez pas auparavant, car vous n'aurez rien de plus.

Gretel prit le pain sous son tablier, parce que Hänsel avait des pierres dans ses poches, puis ils partirent ensemble pour la forêt. Après un moment de marche, Hänsel s'arrêta pour
55 regarder la maison et recommençait à chaque instant.

– Qu'as-tu donc à regarder et à t'arrêter ainsi ? lui demanda le père. Fais attention et n'oublie pas tes jambes.

– Ah ! père, répondit Hänsel, je regarde mon petit chat blanc qui est là-haut sur le toit et veut me dire adieu.

60 – Nigaud, reprit la femme, ce n'est pas ton petit chat blanc, c'est le soleil levant qui donne sur la cheminée.

Or ce n'était pas le chat que regardait Hänsel, seulement il venait de jeter sur le chemin encore une fois une des pierres luisantes qui remplissaient ses poches.

65 Quand on arriva au milieu de la forêt, le père dit :

– Maintenant, ramassez du bois ; je vais vous faire du feu, pour que vous n'ayez pas froid.

Hänsel et Gretel apportèrent des brindilles et en formèrent une petite montagne ; on y mit le feu, et, quand la
70 flamme flamboya très haut, la femme dit :

– Enfants, mettez-vous près du feu et reposez-vous ; nous allons dans la forêt couper du bois. Quand nous aurons fini, nous viendrons vous rechercher.

Hänsel et Gretel s'assirent auprès du feu, et, quand arriva
75 midi, chacun mangea son petit morceau de pain. Comme ils entendaient toujours des coups de hache, ils s'imaginaient

que leur père n'était pas loin. Mais ce n'étaient pas des coups de hache, c'était une branche que le père avait attachée à un arbre sec et que le vent agitait de-ci de-là. Quand ils furent
80 restés longtemps assis, leurs yeux se fermèrent de fatigue et ils s'endormirent profondément, et quand ils finirent par se réveiller, il faisait déjà nuit noire.

Gretel se mit à pleurer et dit :

– Comment allons-nous sortir de la forêt ?

85 – Attends que la lune se lève, répondit Hänsel en la consolant, et nous retrouverons bien notre chemin.

Et quand la pleine lune fut levée, Hänsel prit par la main sa petite sœur et se mit à suivre les petites pierres qui luisaient comme des pièces d'argent et leur indiquaient le
90 chemin. Ils marchèrent durant toute la nuit et se retrouvèrent au point du jour près de la maison de leur père. Ils frappèrent à la porte, et quand la femme ouvrit et vit que c'étaient Hänsel et Gretel, elle dit :

– Méchants enfants, pourquoi avez-vous dormi si long-
95 temps dans la forêt ? Nous avons cru que vous ne vouliez plus revenir.

Pour le père, il fut très content, car cela lui allait au cœur[1] de les avoir ainsi abandonnés tout seuls.

Peu de temps après, la misère était revenue dans tous les
100 coins, et, pendant la nuit, les enfants entendirent la mère dire au lit à leur père :

– Tout est encore une fois dévoré. Il nous reste une demi-miche[2] de pain, après quoi ce sera fini de chanter[3]. Il faut se défaire de ces enfants. Nous les mènerons plus avant dans la

notes

1. cela lui allait au cœur : celui lui faisait beaucoup de peine.

2. miche : gros pain rond.

3. après quoi ce sera fini de chanter : après quoi nous n'aurons plus rien à manger.

105 forêt, afin qu'ils ne puissent retrouver leur chemin. Il n'y a pas d'autre salut pour nous.

Cela faisait mal au cœur du père, qui trouvait qu'il vaudrait mieux partager avec les enfants le dernier morceau de pain ; mais la femme ne voulut rien entendre et se mit à 110 l'accabler d'insultes et de reproches. Une fois qu'on a dit A, il faut dire B aussi, et, comme il avait cédé la première fois, il dut céder également la seconde.

Mais les enfants étaient éveillés et avaient entendu la conversation. Quand les vieux furent endormis, Hänsel se 115 releva et voulut aller ramasser des pierres, comme la première fois ; mais la femme avait fermé la porte et Hänsel ne put sortir. Toutefois, il consola sa petite sœur en lui disant :

– Gretel, ne pleure pas et dors en paix ; le bon Dieu nous viendra certainement en aide.

120 De grand matin, la femme vint faire sortir les enfants du lit. Ils reçurent chacun leur petit morceau de pain, mais plus petit encore que la fois précédente. Le long du chemin, Hänsel l'émietta dans sa poche et s'arrêtait souvent pour en jeter les miettes à terre.

125 – Hänsel, pourquoi t'arrêter et regarder ainsi autour de toi ? lui dit son père. Marche donc.

– Je regarde mon pigeon qui est là-haut sur le toit et veut me dire adieu, répondit Hänsel.

– Nigaud, reprit la femme, ce n'est pas ton pigeon, mais 130 le soleil levant qui donne sur la cheminée.

Mais Hänsel continuait à jeter toujours ses mies de pain.

La femme conduisit les enfants encore plus avant dans la forêt, où jamais de leur vie ils n'étaient allés. Là, on fit de nouveau un grand feu, puis la mère dit :

135 – Restez assis là. Quand vous serez fatigués, vous pourrez dormir un peu. Nous allons dans la forêt couper du bois, et ce soir, quand nous aurons fini, nous viendrons vous rechercher.

Quand midi arriva, Gretel partagea son pain avec Hänsel qui avait poudré[1] le sien le long du chemin. Alors ils s'endormirent et le soir se passa, mais personne ne revint près des pauvres enfants. Ils ne se réveillèrent que dans la nuit noire, et Hänsel consolait sa petite sœur en lui disant :

– Attends, Gretel, que la lune se lève, nous verrons les miettes que j'ai semées et elles nous indiqueront notre chemin pour nous en aller.

Quand la lune parut, ils se levèrent, mais ne trouvèrent plus de miettes, car les milliers d'oiseaux qui voltigent dans les bois et dans les champs les avaient piquées[2].

– Nous retrouverons tout de même notre chemin, disait Hänsel à Gretel.

Mais ils ne le trouvaient pas. Ils marchèrent toute la nuit et le lendemain encore, du matin au soir, sans pouvoir sortir de la forêt, et la faim les prit, car ils n'avaient que les quelques fraises qu'ils trouvaient à terre. Fatigués au point que leurs jambes ne voulaient plus les porter, ils se couchèrent sous un arbre et s'endormirent.

Ils en étaient déjà à la troisième matinée, depuis qu'ils avaient quitté la maison de leur père. Ils se remirent en route, mais en s'enfonçant toujours davantage dans la forêt, et ils étaient sur le point de défaillir[3]. Vers midi, ils virent un bel oiseau blanc comme neige, perché sur une branche, et qui chantait si bien qu'ils s'arrêtèrent pour l'écouter. Bientôt il déploya ses ailes et s'envola. Ils le suivirent jusqu'à une petite maison sur le toit de laquelle il se posa, et, en approchant, ils remarquèrent que cette maisonnette était bâtie en pain et

notes

1. poudré : émietté.

2. piquées : mangées.

3. de défaillir : de se trouver mal, de s'évanouir.

couverte de gâteaux, tandis que les fenêtres étaient de sucre transparent.

–Voici ce qu'il nous faut, dit Hänsel, et nous allons faire un bon repas. Je vais manger un morceau du toit, Gretel ; 170 toi, mange à la fenêtre, c'est doux.

Hänsel grimpa en haut et se cassa un morceau du toit, pour essayer quel goût cela avait, pendant que Gretel se mit à lécher les carreaux. Tout à coup une voix douce cria de l'intérieur :

175 *« Liche, lache, lèchette !*
Qui lèche ma maisonnette ? »

Et les enfants répondirent :

« C'est le vent qui lèche ainsi ;
C'est l'enfant du paradis. »

Illustration anonyme.

180 Et ils continuèrent à manger sans se troubler. Hänsel, qui prenait goût à la toiture, en descendit un grand morceau, et Gretel arracha de la fenêtre une grande vitre ronde, s'assit et s'en régala. Tout à coup la porte s'ouvrit et une femme, vieille comme les pierres, qui s'appuyait sur une béquille, se 185 traîna dehors. Hänsel et Gretel eurent si peur qu'ils laissèrent tomber ce qu'ils tenaient. Mais la vieille brandilla[1] la tête en leur disant :

– Eh ! mes chers enfants, qui vous a amenés ici ? Entrez chez moi et restez avec moi ; vous vous en trouverez bien.

190 Elle les prit tous deux par la main et les conduisit dans la maisonnette. Là, on leur servit de la bonne nourriture, du lait et des omelettes sucrées, des pommes et des noix. Ensuite on leur apprêta deux beaux petits lits, dans lesquels Hänsel et Gretel se couchèrent, en se croyant au ciel.

195 Si amicale que se montre la vieille, elle était cependant une méchante sorcière qui épiait les enfants et qui n'avait bâti de pain sa maisonnette que pour les attirer. Quand il en tombait un en sa puissance, elle le tuait, le cuisait et le mangeait, et c'était pour elle un jour de fête. En voyant Hänsel 200 et Gretel s'approcher de sa maison, elle avait ri méchamment en s'écriant ironiquement :

– Ceux-ci ne m'échapperont pas !

Le lendemain matin, avant que les enfants soient éveillés, elle était déjà debout et, en les voyant si joliment reposer 205 avec leurs joues rouges, elle murmurait à part elle[2] :

– Cela va faire un fameux régal !

Elle prit alors Hänsel avec sa main sèche et le porta dans une petite écurie. Il eut beau crier tant qu'il voulut, cela ne

notes

1. brandilla la tête : remua la tête d'un côté et de l'autre.

2. à part elle : pour elle-même.

lui servit à rien. Elle l'enferma avec une porte à claire-voie[1].
210 Ensuite elle alla à Gretel, la secoua pour la réveiller et lui cria :

– Lève-toi donc, paresseuse ; va chercher de l'eau et prépare quelque chose de bon pour ton frère qui est à l'écurie et qu'il faut engraisser. Quand il sera gras, je le mangerai.

Gretel se mit à pleurer amèrement, mais tout fut inutile :
215 elle fut obligée de faire ce que la méchante sorcière désirait.

On apprêta donc pour Hänsel la meilleure nourriture, pendant que Gretel n'avait à manger que des coquilles d'écrevisses.

Tous les matins, la vieille se glissait dans l'écurie et criait :
220 – Hänsel, tends-moi ton petit doigt, que je sente si tu es bientôt gras.

Mais Hänsel lui tendait un petit os, et, comme la vieille avait mauvaise vue et n'y voyait rien, elle s'imaginait que c'était le doigt de Hänsel et s'étonnait qu'il ne veuille pas
225 s'engraisser. Quatre semaines s'étant ainsi passées, et Hänsel restant toujours maigre, l'impatience s'empara d'elle et elle ne voulut plus attendre.

– Allons, Gretel, dépêche-toi d'apporter de l'eau, dit-elle à la fillette. Que Hänsel soit maigre ou gras, demain je veux
230 le tuer et le cuire.

Ah ! comme se lamenta la pauvre petite sœur en se voyant obligée de porter cette eau et comme ses pleurs ruisselaient sur ses joues !

– Mon Dieu, secourez-nous ! s'écriait-elle. Que n'avons-
235 nous été dévorés dans les bois par les bêtes sauvages ! Nous serions du moins morts ensemble !

note

1. porte à claire-voie : porte dont les planches de bois espacées laissent passer le jour.

– Épargne tes criailleries, lui dit la vieille ; tout cela ne t'avance à rien.

Le lendemain matin, Gretel fut obligée d'aller pendre le
240 chaudron plein d'eau et d'allumer le feu.

– Nous allons d'abord faire du pain, dit la vieille ; j'ai déjà allumé le four et pétri la pâte.

Elle poussa la pauvre Gretel vers le four dont les flammes ardentes sortaient avec violence.

245 – Grimpe dedans pour voir s'il est bientôt assez chaud et si l'on peut enfourner le pain.

Et quand Gretel fut dedans, elle voulut fermer la porte et faire rôtir Gretel dedans, puis la manger aussi ; mais Gretel devina ce qu'elle avait en idée et répondit :

250 – Je ne sais comment m'y prendre pour rentrer.

– Quelle oie stupide ! dit la vieille ; l'ouverture est cependant assez grande. Tu vois, j'y monterais bien moi-même.

Et elle s'approchait en fourrant sa tête à la porte du four.

Tout à coup Gretel lui donna une bourrade[1] qui la fit
255 entrer très avant, puis elle referma la porte de fer et poussa le verrou. Ouf ! comme elle se mit à hurler épouvantablement ! Mais Gretel se sauva et la maudite[2] sorcière brûla misérablement.

Aussitôt Gretel courut à Hänsel, ouvrit son écurie et cria :

260 – Hänsel, nous voilà délivrés ! La vieille sorcière est morte.

Hänsel s'élança dehors, comme un oiseau de sa cage quand on lui en ouvre la porte. Dieu ! comme ils sautaient de joie et s'embrassaient ! Puis, n'ayant plus rien à craindre, ils parcoururent toute la maison de la sorcière, qui était,

notes

1. ***bourrade :*** coup brusque.
2. ***maudite :*** détestable parce qu'elle fait du mal.

265 dans tous les coins, remplie de caisses pleines de perles et de pierres précieuses.

– Ceci vaut encore mieux que mes petites pierres, disait Hänsel, et il en fourra dans ses poches tant qu'elles en purent tenir, et Gretel remplit de même son tablier, en disant :

270 – Je tiens à emporter aussi quelque chose.

– Maintenant, décampons[1] vite, dit Hänsel, et dépêchons-nous de sortir de ce bois ensorcelé.

Il y avait quelques heures qu'ils allaient ainsi, quand ils arrivèrent près d'une grande rivière.

275 – Nous ne pouvons la passer, dit Hänsel, je ne vois ni pont ni passerelle.

– Il ne vient pas non plus de bateau, répondit Gretel ; mais voilà un canard blanc qui nage. Si je l'en prie, il nous aidera à traverser.

280 Et elle cria :

« Canard ! canard qui va sur l'eau,
Viens vite passer sur ton dos
Gretel et Hänsel, car on ne voit
Passerelle ni pont de bois. »

285 Et le canard arriva aussitôt, et Hänsel s'assit sur lui en voulant y mettre aussi sa petite sœur.

– Non pas, répondit Gretel, nous pèserions trop pour le canard. Il nous portera l'un après l'autre.

C'est ce que fit la bonne petite bête. Et dès qu'ils eurent

290 un peu marché de l'autre côté, la forêt devint de plus en plus

note

1. décampons : sauvons-nous.

Illustration anonyme.

connue et enfin ils aperçurent la maison de leur père. Alors ils se mirent à courir, se précipitèrent dans la chambre et sautèrent au cou de leur père. Celui-ci n'avait plus eu une heure de repos depuis qu'il avait abandonné ses enfants dans la forêt. Mais la femme était morte. Gretel vida son tablier en faisant rouler les perles et pierres précieuses par[1] la chambre, et Hänsel en jetait des poignées, les unes après les autres, qu'il tirait de ses poches. Alors tous les soucis eurent une fin et ils vécurent ensemble tous joyeux.

Mon conte est fini. Voilà une souris. Celui qui l'attrapera, une casquette en cuir s'en fera.

note

1. par : dans toute.

Au fil du texte

Questions sur *Hänsel et Gretel* (pages 28 à 39)

Avez-vous bien lu ?

1. Quel est le métier exercé par les parents de Hänsel et Gretel ?

2. Pourquoi ces parents décident-ils d'abandonner leurs enfants ?

3. Les deux parents sont-ils aussi fermement décidés ? Justifiez votre réponse à partir du texte.

4. Comment les deux enfants apprennent-ils le projet de leurs parents ?

5. Quelle est l'astuce trouvée par Hänsel pour faire échouer le projet de ses parents ?

6. Pourquoi la deuxième tentative de Hänsel et Gretel pour retrouver leur chemin échoue-t-elle ?

7. Combien de temps les deux enfants restent-ils dans la forêt avant d'arriver chez la sorcière ?

8. Comment la maison de la sorcière est-elle construite ? Pourquoi ?

9. Pendant combien de temps la sorcière engraisse-t-elle Hänsel ?

10. Quelle ruse emploie Gretel pour se débarrasser de la sorcière ?

11. Comment les enfants regagnent-ils enfin leur domicile ?

12. Qui y retrouvent-ils ?

Étudier le vocabulaire

13. Donnez le sens de l'adjectif qualificatif « pauvre » dans les expressions suivantes :
– *« un pauvre bûcheron »* (l. 1-2) ;

– *« ces pauvres enfants me font cependant pitié »* (l. 27). Que constatez-vous ?

ÉTUDIEZ LA GRAMMAIRE : L'IMPARFAIT

14. Dans le passage allant du début du conte jusqu'à *« qui remplissaient ses poches »* (l. 64), relevez les verbes à l'imparfait, classez-les par groupe et donnez leur infinitif.

15. Choisissez, dans le même passage, un verbe de chacun des groupes et conjuguez-le, à l'imparfait, à toutes les personnes.

16. Quelle remarque faites-vous concernant les terminaisons de l'imparfait ?

ÉTUDIER LA FONCTION* DES PERSONNAGES

17. Qui sont les héros de cette aventure ?

18. Quelle quête* poursuivent-ils ?

19. Qui les a obligés à accomplir cette quête ?

20. Qui sont les opposants* ?

21. Qui sont les adjuvants* ?

ÉTUDIER L'ÉCRITURE

22. Reprenez les verbes relevés à la question 14 et classez-les selon qu'ils indiquent :
– un état qui dure ;
– une action habituelle, répétée ;
– une action longue ;
– une description.

23. En vous aidant de la question 22, dites en deux ou trois phrases quelle est l'utilisation de l'imparfait dans un récit écrit au système du passé*.

fonction : **rôle précis tenu par un personnage.**

quête : **mission confiée au héros, recherche d'une chose ou d'un être.**

opposants : **ceux qui sont les adversaires du héros.**

adjuvants : **ceux qui aident le héros.**

système du passé : **système de temps où l'on utilise principalement l'imparfait, le passé simple, le plus-que-parfait et le passé antérieur.**

ÉTUDIER UN THÈME : LE CONTE, UN UNIVERS MORAL

24. Donnez la liste de tous les personnages du conte. Puis dites quels sont les « bons », quels sont les « méchants ».

25. Qu'arrive-t-il aux bons ? Qu'arrive-t-il aux méchants ?

À VOS PLUMES !

26. Inventez un conte dans lequel les personnages auront les fonctions suivantes :
– le héros : un jeune soldat réputé pour sa sagesse et sa bravoure ;
– sa quête : tuer un serpent qui, par sa présence, apporte une pluie constante et menace le royaume de disparition ;
– celui qui lui demande d'accomplir cette quête : le roi du pays ;
– deux opposants : un dragon, un sorcier ;
– un adjuvant : un berger qui vit dans une grotte près de celle du serpent.

LIRE

27. Dans le Bibliocollège n° 6, les *Contes* de Perrault, lisez p. 71 *Le Petit Poucet*. Quelles ressemblances observez-vous entre ces deux contes ?

Le vaillant petit tailleur

Par un beau matin d'été, un petit tailleur était assis sur sa table près de la fenêtre ; il était de bonne humeur et cousait de toutes ses forces. À ce moment-là, une paysanne descendit la rue en criant :

« Bonne marmelade[1] à vendre ! Bonne marmelade à vendre ! »

Cela résonna agréablement aux oreilles du petit tailleur qui passa sa tête menue par la fenêtre et cria :

« Par ici, chère madame, on vous débarrassera de votre marchandise ! »

La femme monta avec son lourd panier les trois marches qui la séparaient du tailleur et dut déballer devant lui tous ses pots. Il les examina tous, les souleva, les sentit et dit enfin :

note

1. marmelade : compote de fruits.

15 « La marmelade me semble bonne, pesez-m'en quatre demi-onces[1], chère madame. S'il y en a un quart de livre, cela ne fait rien. »

La femme, qui avait espéré faire une bonne vente, lui donna ce qu'il avait demandé mais s'en alla fâchée et gro-
20 gnon.

« Et maintenant, que Dieu bénisse cette marmelade, s'écria le petit tailleur, qu'elle me donne force et vigueur ! »

Il sortit le pain du buffet, se tailla une tranche de toute la largeur de la miche[2] et y étendit la marmelade.

25 « Cette tartine ne va pas être mauvaise, dit-il, mais je vais finir ce pourpoint[3] avant d'y croquer. »

Il posa la tartine à côté de lui, continua à coudre et, de joie, fit des points de plus en plus grands. Pendant ce temps, l'odeur de la marmelade grimpa le long des murs de la
30 chambre sur lesquels se trouvaient une grande quantité de mouches, si bien qu'elles furent attirées et vinrent se poser en masse sur la tartine.

« Qui vous a invitées ? », dit le petit tailleur ; et il chassa les hôtes indésirables. Mais les mouches, qui ne compre-
35 naient pas l'allemand, ne se laissèrent pas écarter et vinrent en nombre toujours plus grand. Alors le petit tailleur, comme on dit, prit la mouche, saisit un torchon dans sa réserve à chiffons et, « attendez que je vous en donne ! », il les frappa de manière impitoyable. Lorsqu'il retira le torchon
40 et compta, il n'en vit pas moins de sept mortes sous ses yeux, les pattes en l'air.

notes

1. quatre demi-onces : une très petite quantité.
2. miche : gros pain rond.
3. pourpoint : vêtement d'homme qui couvrait le buste.

Le vaillant petit tailleur **: « Sept d'un coup. »**
Gravure sur bois de Ludwig Richter.

« Est-ce que tu n'es pas un fameux gaillard ? » dit-il, admirant lui-même sa vaillance. « Cela, il faut que la ville entière le sache ! » Et en toute hâte, le petit tailleur coupa une ceinture, la cousit et y broda en lettres majuscules : « Sept d'un coup. » « Eh, quoi, la ville…, continua-t-il, c'est le monde entier qui doit savoir cela. » Et son cœur battait de joie comme la queue d'un petit agneau.

Le tailleur se noua la ceinture autour du corps et décida d'aller parcourir le monde, parce qu'il trouvait que son atelier était trop petit pour sa vaillance. Avant de s'en aller, il chercha partout dans la maison s'il n'y avait pas quelque chose qu'il pouvait emporter avec lui. Il ne trouva qu'un vieux fromage qu'il mit dans sa poche. Devant la porte, il remarqua un oiseau qui s'était pris dans les broussailles ; il alla rejoindre le fromage. Puis il se mit vaillamment à parcourir les chemins et, parce qu'il était léger et agile, il ne ressentait pas la fatigue. Le chemin le conduisit sur une montagne et, comme il atteignait le plus haut sommet, un énorme géant y était assis et regardait tranquillement tout autour de lui. Le petit tailleur s'avança hardiment vers lui, l'aborda et lui dit :

« Bonjour, camarade, tu es assis là et tu admires le vaste monde, n'est-ce pas ? C'est justement là que je vais et je veux y faire mes preuves. As-tu envie de venir avec moi ? »

Le géant le regarda d'un air méprisant et lui dit :

« Gredin ! Misérable individu !

– Parlons-en donc, répondit le petit tailleur en déboutonnant sa tunique et en montrant sa ceinture au géant. Lis donc quel homme je suis ! »

Le géant lut : « Sept d'un coup » et s'imagina qu'il s'agissait d'hommes que le tailleur avait tués et commença à avoir un peu de respect pour le gaillard. Mais il voulut d'abord l'éprouver : il prit une pierre dans la main et la pressa si fort qu'il en sortit de l'eau.

« Fais la même chose, dit le géant, si tu as de la force.

– Rien que cela ? dit le petit tailleur. Pour moi c'est un jeu d'enfant. »

Il mit la main dans sa poche, saisit le fromage mou et le pressa jusqu'à ce qu'il en coule du jus.

« C'était un peu mieux, n'est-ce pas ? » dit-il.

Illustration de Bertall.

Le géant ne savait pas quoi dire et ne pouvait croire cela du petit homme. Alors le géant saisit une pierre et la lança si haut que l'on ne pouvait presque plus la suivre des yeux.

« Maintenant, mon petit canard, fais la même chose.

85 – Bien lancé, dit le tailleur, mais la pierre est retombée sur la terre. Je vais t'en lancer une qui ne reviendra pas. »

Il mit la main dans sa poche, saisit l'oiseau et le lança dans les airs. L'oiseau, ravi d'être libre, monta vers le ciel, prit son vol et ne revint plus.

90 « Qu'est-ce que tu dis de mon petit numéro, camarade ? demanda le tailleur.

– Lancer, tu t'y entends, dit le géant. Mais on va voir maintenant si tu es homme à porter une lourde charge. »

Il conduisit le petit tailleur près d'un énorme chêne mort
95 qui était étendu sur le sol et lui dit :

« Si tu es assez fort, aide-moi à sortir cet arbre du bois.

– Volontiers, répondit le petit homme ; charge donc le tronc sur tes épaules, je soulèverai les branches avec le feuillage et je les porterai, c'est çà le plus lourd. »

100 Le géant chargea le tronc sur ses épaules ; le tailleur, quant à lui, s'assit sur une branche et le géant, qui ne pouvait se retourner, dut porter tout l'arbre avec en prime[1] le petit tailleur. Celui-ci était tout joyeux et de bonne humeur, il sifflait la chansonnette « Trois tailleurs chevauchaient hors de
105 la ville », comme si porter cet arbre était un jeu d'enfant. Le géant, après avoir traîné sa lourde charge un bout de chemin, ne fut plus capable d'avancer et s'écria :

« Écoute, je dois lâcher cet arbre. »

note

1. en prime : en plus.

Le tailleur sauta rapidement par terre, attrapa l'arbre de
110 ses deux bras, comme s'il l'avait porté, et dit au géant :

« Tu es un grand gaillard et tu ne peux même pas porter cet arbre ! »

Ensemble, ils poursuivirent leur chemin et, comme ils passaient près d'un cerisier, le géant attrapa la cime de l'arbre
115 où pendaient les fruits les plus mûrs, la courba, la mit dans la main du petit tailleur et lui dit d'en manger. Mais le petit tailleur était beaucoup trop faible pour tenir l'arbre et, quand le géant le lâcha, l'arbre se releva et le tailleur fut projeté dans les airs. Quand il eut regagné la terre sans dommage, le géant
120 lui dit :

« Qu'est-ce que cela ? Tu n'as pas la force de tenir cette faible baguette[1] ?

– Ce n'est pas la force qui me manque, répondit le petit tailleur. Penses-tu que ce soit un problème pour quelqu'un
125 qui en a tué sept d'un coup ? J'ai sauté par-dessus l'arbre parce que les chasseurs là en bas tirent dans les buissons. Saute, toi aussi, si tu le peux ! »

Le géant fit un essai, mais ne réussit pas à rouler par-dessus l'arbre et resta pendu dans les branches de sorte que,
130 cette fois encore, ce fut le tailleur qui eut l'avantage.

Le géant lui dit :

« Si tu es un si vaillant gaillard, viens avec moi dans notre caverne et passe la nuit avec nous. »

Le petit tailleur accepta et le suivit. Quand ils arrivèrent
135 à la caverne, il y avait là d'autres géants assis autour d'un feu

note

1. baguette : pour le géant, tenir un arbre ne demande pas plus d'effort que de tenir un petit morceau de bois.

et chacun avait en main un mouton rôti dans lequel il mordait. Le petit tailleur s'assit et pensa : « C'est bien plus vaste ici que dans mon atelier. » Le géant lui indiqua un lit et lui dit de s'y coucher et d'y dormir. Mais le lit était trop grand 140 pour le petit tailleur ; il ne s'y coucha pas mais alla s'allonger dans un coin. Quand minuit sonna et que le géant pensa que le petit tailleur dormait profondément, il se leva, prit une grosse barre de fer, en donna un coup sur le lit et pensa qu'il avait achevé la sauterelle. Tôt le matin, les géants se ren- 145 dirent dans la forêt ; ils avaient oublié le petit tailleur qui arriva tout joyeux et rempli de courage. Les géants prirent peur, s'affolèrent, craignirent qu'il ne les tue et s'enfuirent en toute hâte.

Le petit tailleur poursuivit son chemin, toujours selon 150 son inspiration. Après avoir longtemps marché, il arriva dans la cour d'un palais royal et, comme il était fatigué, il se coucha dans l'herbe et s'endormit. Pendant qu'il était là, des gens s'approchèrent, le regardèrent de tous les côtés et lurent sur sa ceinture : « Sept d'un coup. »

155 « Ah ! dirent-ils, que vient faire ce grand guerrier en pleine paix ? Ce doit être un puissant seigneur. »

Ils allèrent annoncer la chose au roi et pensaient que, si la guerre éclatait, ce serait là un homme important et utile qu'il ne fallait laisser partir à aucun prix. Le conseil plut au roi et 160 il envoya au petit tailleur un de ses courtisans qui, à son réveil, devait lui offrir de le servir dans l'armée. L'envoyé resta à côté du dormeur jusqu'à ce qu'il étire ses membres et ouvre ses yeux puis lui fit sa proposition.

« C'est justement pour cela que je suis venu, répondit-il, 165 je suis prêt à entrer au service du roi. »

Il fut reçu avec tous les honneurs et une maison particulière fut mise à sa disposition.

Les gens de guerre ne pouvaient le supporter et auraient voulu qu'il soit à mille lieues de là.

170 « Qu'est-ce que cela va devenir ? disaient-ils entre eux. Si nous lui cherchons querelle et qu'il frappe, à chaque coup il en tombera sept. Aucun de nous ne pourra subsister. »

Ils prirent la décision de se rendre auprès du roi et le prièrent d'accepter leur démission.

175 « Nous ne sommes pas faits, dirent-ils, pour rester à côté d'un homme qui en tue sept d'un coup. »

Le roi fut triste de perdre ses fidèles serviteurs à cause d'un seul ; il souhaita ne l'avoir jamais vu et aurait désiré qu'il reparte. Mais il n'avait pu lui donner son congé[1] parce 180 qu'il craignait qu'il le tue, lui, et tout son peuple, et s'installe sur son trône. Il réfléchit longuement et trouva finalement une solution. Il envoya quelqu'un au petit tailleur et lui fit dire que, s'il était un si grand guerrier, il voulait lui faire une proposition. Dans une forêt de son pays habitaient deux 185 géants qui causaient de gros dégâts en volant, tuant et en mettant tout à feu et à sang : personne ne pouvait les approcher sans être en danger de mort. S'il triomphait des deux géants et les tuait, il lui donnerait sa fille unique en mariage et la moitié de son royaume en dot[2]. Cent cavaliers l'accom-190 pagneraient et lui prêteraient assistance.

« Ce serait bien pour un homme comme toi, songea le petit tailleur. Ce n'est pas tous les jours qu'on vous offre une jolie fille de roi et la moitié d'un royaume. »

« Oh oui, répondit-il, je maîtriserai les géants sans avoir 195 pour cela besoin des cavaliers : qui en a tué sept d'un coup n'a aucune raison d'en craindre deux. »

notes

1. lui donner son congé : lui demander de s'en aller.

2. dot : bien qu'une femme apporte à son mari en l'épousant.

Le petit tailleur s'en alla, suivi des cent cavaliers. Quand ils arrivèrent à la lisière de la forêt, il s'adressa à ses compagnons :

200 « Restez ici à m'attendre, je viendrai bien à bout des géants tout seul. »

Puis il s'enfonça dans la forêt en regardant à droite et à gauche. Au bout d'un petit moment, il aperçut les deux géants : étendus sous un arbre, ils dormaient et ronflaient si 205 fort que les branches s'agitaient de haut en bas. Le petit tailleur, qui n'était pas paresseux, remplit ses deux poches de pierres et grimpa dans l'arbre. Quand il fut arrivé au milieu, il se glissa le long d'une branche pour être juste au-dessus des dormeurs et fit tomber sur la poitrine d'un des géants 210 une pierre après l'autre. Pendant un long moment, le géant ne sentit rien. Mais quand finalement il se réveilla, il secoua son compagnon et lui dit :

« Pourquoi me frappes-tu ?

– Tu rêves, répondit l'autre, je ne te frappe pas. »

215 Ils s'allongèrent à nouveau pour dormir ; à ce moment-là le tailleur lança une pierre sur le second géant.

« Qu'est-ce que cela ? s'écria l'autre. Pourquoi me jettes-tu des pierres ?

– Je ne te jette rien, répondit le premier en bougonnant. »

220 Ils se chamaillèrent[1] ; cependant, comme ils étaient fatigués, ils s'arrêtèrent et leurs yeux se refermèrent. Le petit tailleur recommença son manège ; il choisit la pierre la plus grosse et la jeta de toutes ses forces sur la poitrine du premier géant :

225 « C'est trop fort ! », cria-t-il ; il se leva comme un fou et

note

1. se chamaillèrent : se disputèrent.

poussa son compagnon contre l'arbre, si bien que celui-ci trembla.

L'autre lui rendit la monnaie de sa pièce ; ils se mirent dans une telle colère qu'ils arrachèrent les arbres, se frappèrent l'un l'autre jusqu'à ce qu'ils tombent tous les deux morts en même temps sur le sol. Le petit tailleur sauta alors par terre.

« Une chance, se disait-il, qu'ils n'aient pas arraché l'arbre sur lequel j'étais assis ; j'aurais dû sauter sur un autre comme les écureuils. Heureusement que nous sommes agiles, nous autres ! »

Il tira son épée et en donna quelques bons coups dans la poitrine de chacun. Ensuite, il sortit du bois, se rendit vers les cavaliers et dit :

« Le travail est fait, je leur ai donné le coup de grâce[1] ; mais cela a été difficile ; devant le péril, ils ont dû arracher des arbres et se défendre ; mais cela ne sert à rien, quand il en vient un comme moi qui en tue sept d'un coup.

– N'êtes-vous pas blessé ? demandèrent les cavaliers.

– Ce n'est pas demain la veille. Ils n'ont pas touché un seul de mes cheveux. »

Les cavaliers ne voulaient pas le croire et pénètrèrent dans la forêt ; ils y trouvèrent les géants baignant dans leur sang, et, tout autour, se trouvaient les arbres arrachés.

Le petit tailleur demanda au roi la récompense promise, mais celui-ci, qui regrettait sa promesse, réfléchit sur une nouvelle façon de se débarrasser de notre héros.

« Avant que tu n'obtiennes ma fille et la moitié du royaume, lui dit-il, tu dois encore accomplir un exploit. Dans

note

1. je leur ai donné le coup de grâce : je leur ai donné le coup qui les a fait mourir.

255 la forêt, il y a une licorne[1] qui fait de gros dégâts, tu dois d'abord l'attraper.

– J'ai encore beaucoup moins peur d'une licorne que de deux géants. Sept d'un coup, c'est mon affaire. »

Il prit une corde et une hache, partit dans la forêt et 260 demanda à ceux que l'on avait mis sous ses ordres de l'attendre à l'extérieur. Il n'eut pas longtemps à attendre : la licorne arriva bientôt et fonça sur le tailleur comme si, immédiatement, elle voulait l'embrocher[2].

« Doucement, doucement, dit-il, cela ne va pas aussi vite. »

265 Il resta tranquille et attendit jusqu'à ce que l'animal soit tout près, ensuite il bondit brusquement derrière un arbre. La licorne se jeta de toutes ses forces contre l'arbre et planta sa corne si profondément dans le tronc qu'elle n'eut pas assez de force pour la retirer et se trouva prisonnière.

270 « Maintenant, je tiens l'oiseau », dit le tailleur.

Il sortit de derrière l'arbre, passa la corde autour du cou de la licorne, dégagea la corne du tronc à coups de hache et, quand tout fut en ordre, il emmena la bête et la conduisit vers le roi.

275 Le roi ne voulut pas encore lui donner la récompense promise et fit une troisième demande. Avant ses noces, le tailleur devrait encore lui attraper un sanglier qui faisait de gros dégâts dans la forêt : les chasseurs lui prêteraient assistance.

280 « Volontiers, dit le tailleur, c'est un jeu d'enfant. »

Il n'emmena pas les chasseurs avec lui dans la forêt, et ils furent très contents car le sanglier les avait déjà accueillis

notes

1. licorne : animal fabuleux à corps et tête de cheval portant une corne unique au milieu du front.

2. l'embrocher : le traverser de part en part avec sa corne.

plusieurs fois de telle façon qu'ils n'avaient plus aucune envie de le prendre en chasse. Quand le sanglier aperçut le tailleur, il fonça vers lui, la gueule écumante, préparant ses dents, et voulut le jeter par terre ; mais notre agile héros sauta dans une chapelle qui se trouvait près de là et, d'un bond, en ressortit sur le champ par la fenêtre du haut. Le sanglier l'y avait suivi mais le tailleur fit rapidement le tour par l'extérieur et ferma la porte derrière la bête. L'animal furieux, qui était beaucoup trop lourd et beaucoup trop maladroit pour sauter par la fenêtre, fut fait prisonnier. Le petit tailleur appela les chasseurs pour qu'ils voient le prisonnier de leurs propres yeux. Le héros, de son côté, se rendit auprès du roi qui maintenant, qu'il le veuille ou non, devait tenir sa promesse et lui donner sa fille et la moitié de son royaume. S'il avait su que ce n'était pas un héroïque guerrier mais un tailleur qui se tenait devant lui, il aurait été encore davantage peiné. Le mariage fut célébré avec beaucoup de faste mais peu de joie et d'un tailleur on fit un roi.

Quelque temps plus tard, la jeune reine entendit une nuit son époux parler :

« Garçon, fais-moi ce pourpoint et raccommode-moi ce pantalon ou bien je te donne des coups d'aune[1] sur les oreilles. »

Elle comprit alors dans quelle ruelle[2] le jeune seigneur était né, se plaignit le lendemain matin de son malheur à son père et le supplia de l'aider à se débarrasser de cet homme qui n'était rien d'autre qu'un tailleur. Le roi la réconforta et lui dit :

notes

1. aune : mesure de longueur d'1,20 m environ ; il s'agit ici de la baguette de bois qui permet de mesurer cette longueur.

2. ruelle : ici, endroit où vivent les gens de condition très modeste.

« La nuit prochaine, laisse la porte de ta chambre ouverte, mes serviteurs se tiendront à l'extérieur et, quand il sera endormi, ils entreront, le ligoteront et le porteront dans un navire qui l'emmènera de par le vaste monde. »

315 La femme fut satisfaite mais l'écuyer[1] du roi, qui avait entendu et avait un faible pour son maître, lui rapporta tout le complot.

« Je mettrai leur projet en échec », dit le petit tailleur.

Le soir, il se coucha avec sa femme à l'heure habituelle ;
320 quand elle crut qu'il était endormi, elle se leva, ouvrit la porte et se recoucha. Le petit tailleur, qui faisait semblant de dormir, se mit à crier d'une voix claire :

« Garçon, fais-moi ce pourpoint et raccommode-moi ce pantalon ou bien je te donne des coups d'aune sur les
325 oreilles. J'en ai abattu sept d'un coup, j'ai tué deux géants, j'ai capturé une licorne, fait prisonnier un sanglier et je devrais craindre ceux qui se tiennent devant ma chambre ! »

Quand ils entendirent le tailleur parler ainsi, ils furent saisis d'une grande crainte, ils se sauvèrent aussi vite que s'ils
330 avaient eu une armée de sauvages aux trousses et aucun n'eut l'audace[2] de s'en prendre à lui. Ainsi le tailleur fut et resta roi toute sa vie.

notes

1. écuyer : gentilhomme au service du roi.

2. audace : courage.

Au fil du texte

Questions sur *Le vaillant petit tailleur* (pages 43 à 56)

AVEZ-VOUS BIEN LU ?

1. Qui est le personnage central ? En quoi consiste sa profession ?

2. Qui a-t-il tué ? Comment ?

3. Qu'inscrit-il sur la ceinture qu'il se coud ?

4. Quelle indication manque pour que l'information soit complète ?

5. En quoi est-ce déterminant pour la suite du conte ?

6. Donnez la liste des épreuves imposées par le géant au vaillant petit tailleur.

7. Le tailleur accomplit-il exactement ce qui lui est demandé ? Justifiez votre réponse à partir du texte.

8. Le géant s'en rend-il compte ?

9. Pourquoi et comment veut-il se débarrasser du petit tailleur ?

10. Quelles épreuves le roi impose-t-il au vaillant petit tailleur ?

11. Comment s'en acquitte-t-il ?

12. Que lui promet le roi s'il réussit la première épreuve ? Tient-il sa promesse ? Pourquoi lui impose-t-il les autres épreuves ? Justifiez votre réponse à partir du texte.

13. Comment la véritable identité du nouveau roi est-elle révélée à sa femme ? à son beau-père ?

14. Qui avertit le roi du danger qui le menace ?

15. Quelle décision prend-il pour garder son trône ?

ÉTUDIER LE VOCABULAIRE

16. L'auteur utilise le nom *« héros »* (l. 252) pour parler du petit tailleur. Donnez les trois sens différents de ce nom. Dites quels sont ceux qui s'appliquent au petit tailleur. Donnez un adjectif et un nom appartenant à la même famille étymologique*.

17. Dans la liste suivante, retrouvez les adjectifs qualificatifs synonymes* de *« vaillant »* :
brave – audacieux – faible – intrépide – lâche – courageux – téméraire – décidé – poltron – perfide – résolu – preux – penaud – hardi.

18. Prenez pour modèle l'exemple suivant :
« Un tailleur qui est vaillant montre de la vaillance. »
Puis continuez avec chacun des adjectifs choisis à la question précédente.

ÉTUDIER LE PERSONNAGE PRINCIPAL

19. Repérez la situation initiale* et la situation finale*.

20. Quelle quête* a été accomplie entre-temps ?

21. Quelles phrases (l. 34 à 58) montrent que c'est le petit tailleur lui-même qui prend la décision d'entreprendre cette quête ?

22. Quelle pourrait être sa devise* ?

23. Qui sont les deux principaux opposants à sa quête ?

24. Pourquoi le petit tailleur n'attaque-t-il pas ses adversaires de front ?

25. De quelles qualités fait-il preuve ? Appuyez-vous sur des exemples du texte.

famille étymologique : **ensemble de mots ayant la même origine et formés sur le même radical.**

synonymes : **mots qui sont d'un sens très proche.**

situation initiale : **situation au début du récit ; elle présente le cadre, les personnages, etc.**

situation finale : **situation à la fin du conte ; elle présente le sort des héros à la fin de leurs aventures.**

quête : **mission confiée au héros, recherche d'une chose ou d'un être.**

devise : **formule qui résume l'idéal du petit tailleur.**

ÉTUDIER LE CONTE

26. À quoi servent les épreuves auxquelles est soumis le personnage principal ?

27. Peut-on imaginer un conte sans épreuves ?

ÉTUDIER L'ÉCRITURE

28. Qu'est-ce qu'un « quiproquo » ?

29. Pourquoi peut-on dire que l'ensemble de ce conte est construit sur un quiproquo ?

30. Comment ce quiproquo est-il entretenu tout au long du texte ?

LIRE L'IMAGE

31. Décrivez l'illustration de la page 47.

32. Quelles sont les répliques du petit tailleur qui pourraient servir de légende à cette illustration ?

À VOS PLUMES !

33. *« La femme fut satisfaite mais l'écuyer du roi... »* (l. 315). Imaginez une autre fin à ce conte.

34. Inventez un conte dans lequel le héros que vous choisirez devra réussir trois épreuves : tuer un dragon qui lance des flammes ; trancher la tête d'un serpent ; se débarrasser d'une araignée géante avant de récupérer un coffre rempli de pierres précieuses pour le compte d'un roi.

Les trois fileuses

Il y avait une fille paresseuse et qui ne voulait pas filer. Sa mère avait beau lui dire tout ce qu'elle voulait, impossible de l'y décider. Enfin, la mère se fâcha et s'impatienta si bien qu'elle lui donna des coups, à propos desquels elle se mit à pleurer tout haut. La reine passait précisément par là, et, quand elle entendit pleurer, elle fit arrêter la voiture, entra dans la maison, et demanda à la mère pourquoi elle battait ainsi sa fille, qu'on l'entendait crier du milieu de la rue. Alors la femme eut honte d'avouer la paresse de sa fille, et elle dit :

– Je ne puis l'empêcher de filer ! Elle veut toujours et toujours filer, et je suis pauvre et ne puis me procurer du chanvre[1].

– Je n'aime rien tant à entendre que filer, et je ne suis jamais si heureuse qu'au bruit des roues qui tournent.

note

1. chanvre : fil à tisser obtenu à partir d'une plante qui porte le même nom.

Illustration anonyme.

Donnez-moi votre fille au château. J'ai assez de chanvre. Elle y filera tant qu'elle en aura envie.

La mère fut enchantée, et la reine emmena la fille. En arrivant au château, elle la conduisit dans trois chambres 20 hautes qui étaient pleines jusqu'au plafond du chanvre le plus beau.

– Allons, file-moi ce chanvre, lui dit-elle, et quand tu auras fini, je te donnerai mon fils aîné pour époux. Que tu sois pauvre, je n'y fais pas attention. Ta diligence[1] infatigable 25 suffit pour ta dot[2].

La jeune fille tressaillit en elle-même, car elle ne pouvait pas filer ce chanvre, eût-elle vécu trois siècles, en filant tous les jours du matin au soir. Quand elle fut seule, elle se mit donc à pleurer, et resta assise pendant trois jours, sans remuer 30 les mains. Le troisième jour, la reine arriva, et quand elle vit qu'elle n'avait encore rien filé, elle fut très surprise ; mais la jeune fille s'excusa, en alléguant[3] que c'était le chagrin d'être éloignée de sa mère qui l'avait jusque-là empêchée de commencer.

35 La reine accepta cette excuse, mais, en s'en allant, lui dit :

– Il faudra t'y mettre demain.

Quand la jeune fille se retrouva seule, elle ne sut plus que faire et devenir, et, dans son trouble, s'approcha de la fenêtre. Alors elle vit venir trois femmes, dont la première, avec un 40 pied large comme un battoir[4] ; la seconde, une grande lèvre inférieure qui lui retombait jusqu'au-dessous du menton, et la troisième, un large pouce. Elles restaient sous la fenêtre à regarder la jeune fille, et lui demandèrent ce qu'elle avait.

notes

1. ta diligence : ta rapidité.

2. dot : bien qu'une femme apporte à son mari en l'épousant.

3. en alléguant : en prenant pour prétexte.

4. un battoir : sorte de planche munie d'un manche et qui sert à battre le linge ou les tapis.

Illustration de Bertall.

Elle leur raconta sa détresse[1]. Elles lui offrirent leur secours
45 et lui dirent :

– Si tu veux nous inviter à la noce, ne pas rougir de nous, et nous appeler tes cousines, et nous admettre à ta table, nous nous chargeons de te filer ce chanvre et lestement[2].

– Bien volontiers ! répondit-elle ; montez vite et mettez-
50 vous à l'œuvre.

Elle fit alors entrer ces trois étranges femmes, et fit une place dans la première chambre pour les y installer, et elles se mirent à filer. L'une tirait le fil et faisait avec son pied tourner la roue ; l'autre mouillait le fil ; la troisième le tordait, et
55 frappait sur la table avec son pouce, et aussi souvent elle frappait, un écheveau[3] de fil tombait à terre, et c'était filé dans la perfection. Quand la reine arrivait, elle lui cachait aussitôt les trois fileuses, et lui montrait, chaque fois, la quantité de chanvre déjà filé, ce qui lui valait des louanges à n'en
60 plus finir. Quand la première chambre fut vide, on passa à la seconde, puis enfin à la troisième, et elle fut aussi bien vite débarrassée. Alors les trois femmes prirent congé de la jeune fille et lui dirent :

– N'oublie pas ce que tu nous as promis. Cela fera ton
65 bonheur.

Quand la jeune fille montra à la reine les chambres vides et les énormes tas de fil, elle prépara la noce ; et le fiancé, tout heureux d'avoir une femme si adroite et si laborieuse[4], lui adressa toutes sortes d'éloges[5].

70 – J'ai trois cousines, lui dit la jeune fille ; comme elles m'ont fait beaucoup de bien, je n'aimerais pas à les oublier

notes

1. détresse : situation très pénible.

2. lestement : rapidement.

3. écheveau : ensemble de fils repliés et liés par un fil.

4. laborieuse : travailleuse.

5. toutes sortes d'éloges : toutes sortes de félicitations.

dans mon bonheur ; permettez-moi de les inviter à la noce, et qu'elles s'assoient avec nous à table.

La reine et le fiancé donnèrent leur approbation[1]. Quand la fête commença, les trois filles entrèrent donc dans une tenue singulière[2], et la fiancée leur dit :

– Chères cousines, soyez les bienvenues.

– Ah ! çà, demanda le fiancé, d'où te vient cette étrange amitié ?

Puis il alla à celle qui avait le pied large comme un battoir, et lui demanda :

– D'où vient que vous avez un si large pied ?

– De ce que je marche sur la roue, répondit-elle ; de ce que je marche sur la roue.

Alors le fiancé alla à la seconde, et lui demanda :

– D'où vient que vous avez une lèvre si tombante ?

– De ce que c'est moi qui lèche le fil, répondit-elle ; de ce que c'est moi qui lèche le fil.

Alors, il demanda à la troisième :

– D'où vient que vous avez un si large pouce ?

– De ce que c'est moi qui tords le fil, répondit-elle ; de ce que c'est moi qui tords le fil.

Le fils du roi tressaillit, et reprit :

– J'entends que ma belle fiancée ne touche jamais plus un rouet.

Et elle se trouva ainsi débarrassée de ce maudit[3] filage.

notes

1. leur approbation : leur accord.

2. tenue singulière : tenue bizarre et ridicule.

3. maudit : détestable parce qu'il fait du mal.

Au fil du texte

Questions sur *Les trois fileuses* (pages 60 à 65)

Avez-vous bien lu ?

1. Pour quelle raison la jeune fille est-elle battue par sa mère ?

2. Quelle raison la mère donne-t-elle à la reine ?

3. Pourquoi agit-elle ainsi ?

4. Quelle est la conséquence immédiate pour la jeune fille ?

5. Quel contrat la reine passe-t-elle avec la jeune fille ?

6. Comment la jeune fille explique-t-elle à la reine qu'elle n'a encore rien filé trois jours après son arrivée ?

7. À quelle condition les trois femmes proposent-elles leur aide à la jeune fille ?

8. Pourquoi la jeune fille risquerait-elle de rougir des trois femmes ?

9. La jeune fille respecte-t-elle le contrat passé avec les trois fileuses ?

10. Est-elle récompensée de sa fidélité à la parole donnée ?

***famille étymologique* :** **ensemble de mots ayant la même origine et formés sur le même radical.**

Étudier le vocabulaire

11. Les radicaux *mater-*, *mar-*, *matr-* viennent du nom latin féminin *mater, matris* qui signifie « mère ». Constituez la famille étymologique* du nom « mère » et précisez le sens des mots trouvés.

12. Trouvez deux homonymes* du nom « mère » que vous utiliserez chacun dans une phrase.

ÉTUDIER LA GRAMMAIRE

13. Dans le passage allant de *« – Allons, file-moi ce chanvre »* (l. 22) jusqu'à *« de commencer »* (l. 34), relevez les adjectifs qualificatifs et indiquez, pour chacun, s'il est attribut ou épithète.

14. Quel adjectif qualifie le nom masculin singulier *« fils »* (l. 23) ? Quel est son genre ? son nombre ?

15. Quel adjectif qualifie le pronom personnel de la troisième personne du singulier au féminin *« elle »* (l. 28) ? Quel est son genre ? son nombre ?

16. Qu'en déduisez-vous sur l'accord de l'adjectif qualificatif ?

ÉTUDIER LE DISCOURS

17. Comment distingue-t-on visuellement les parties dialoguées ?

18. Relevez quatre verbes différents signalant qu'une personne va parler.

19. À quel temps sont-ils conjugués ? Pourquoi ?

20. Comment sont-ils placés ?

21. De quelles personnes sont les pronoms personnels utilisés dans le dialogue ?

22. Quel est le temps grammatical de base utilisé dans le dialogue ?

ÉTUDIER LA FONCTION DES PERSONNAGES

23. Repérez la situation initiale* et dites quelle est la quête* de la jeune fille.

homonymes : **mots qui se prononcent de la même manière mais qui n'ont pas le même sens.**

situation initiale : **situation au début du récit ; elle présente le cadre, les personnages, etc.**

quête : **mission confiée au héros, recherche d'une chose ou d'un être.**

24. Repérez la situation finale* et dites si cette quête a été obtenue.

25. Dites quelle est l'héroïne de ce récit ; qui sont ses opposants* et qui sont ses adjuvants*.

ÉTUDIER L'ÉCRITURE

26. Relevez dans le texte : une phrase exclamative, quatre phrases interrogatives et une phrase impérative.

27. Indiquez la raison de l'utilisation de chaque type de phrase.

28. Pourquoi ces types de phrases sont-ils présents dans le dialogue ?

situation finale : **situation à la fin du conte ; elle présente le sort des héros à la fin de leurs aventures.**

opposants : **ceux qui sont les adversaires du héros.**

adjuvants : **ceux qui aident le héros.**

LIRE L'IMAGE

29. En quoi l'illustration de la page 63 est-elle fidèle au texte du conte ?

À VOS PLUMES !

30. La jeune fille raconte à une de ses amies présente au mariage les événements qu'elle a vécus depuis que la reine l'a emmenée dans son château. Vous respecterez les contraintes du dialogue.

Blanche Neige

C'était une fois au milieu de l'hiver, et la neige tombait du ciel comme des plumes. Une reine était alors assise à sa fenêtre qui avait un encadrement en bois d'ébène, et elle cousait. Et tout en cousant, elle regardait la neige, ce qui fit qu'elle se piqua le doigt avec son aiguille, et trois gouttes de sang tombèrent dans la neige. Et ce rouge faisait un si bel effet sur la neige blanche, qu'elle se dit :

– Ah ! que n'ai-je un enfant blanc comme la neige, rouge comme le sang et noir comme le bois de ce cadre !

Quelque temps après, elle eut une petite fille qui était aussi blanche que la neige, aussi rouge que le sang, avec des cheveux noirs comme de l'ébène, et c'est pourquoi on l'appela Blanche Neige. Et, au moment où naissait cette enfant, la reine mourait. Au bout d'un an, le roi prit une autre épouse. C'était une belle femme, mais fière et orgueilleuse, et elle ne pouvait supporter que quelqu'un la surpasse en beauté. Elle avait un miroir merveilleux devant lequel, quand elle se regardait, elle disait :

20 *« Miroir, dis-moi ici, franchement,*
Qui est la plus belle en ce moment ? »

et aussitôt son miroir lui répondait :

« C'est vous la plus belle en ce moment. »

Et elle était contente, car elle savait que le miroir disait
25 la vérité.

Mais Blanche Neige grandissait et devenait toujours plus belle, et quand elle eut sept ans, elle était belle comme le jour, plus belle que la reine elle-même. Un jour que celle-ci demandait au miroir :

30 *« Miroir, dis-moi ici, franchement,*
Qui est la plus belle en ce moment ? »

il répondit :

« C'est vous la plus belle ici, dans ce moment,
Mais Blanche Neige l'est bien autrement. »

35 À ces mots, la reine tressaillit et devint jaune et verte de jalousie. Dès lors, aussitôt qu'elle regardait Blanche Neige, son cœur se retournait dans sa poitrine, tant elle détestait la jeune fille. Et la jalousie et l'orgueil grandissaient toujours de plus en plus, comme une ivraie[1], dans son cœur ; en sorte
40 qu'elle n'avait plus de repos ni le jour ni la nuit. Alors elle appela un chasseur et lui dit :

– Emmène cette enfant dans la forêt. Je ne veux plus la voir devant mes yeux. Tu la tueras et, pour me le prouver, tu m'apporteras son foie.

note

1. ivraie : mauvaise herbe.

Le chasseur obéit et l'emmena, et quand il eut tiré son couteau pour percer le cœur innocent de Blanche Neige, elle se mit à pleurer et dit :

– Ah ! cher chasseur, laisse-moi la vie ; je m'en irai dans la forêt, et jamais je ne retournerai à la maison.

Elle était si belle que le chasseur eut pitié et dit :

– Alors, sauve-toi vite, pauvre enfant. Les bêtes sauvages l'auront bientôt mangée, pensait-il, et cependant il lui semblait que son cœur venait d'être soulagé d'une lourde pierre parce qu'il était dispensé de la tuer ; puis, un jeune marcassin[1] ayant débouché, il le tira, prit son foie et le porta en témoignage à la reine. Le cuisinier le lui fit cuire au sel, et la méchante femme le mangea, croyant manger le foie de Blanche Neige.

La pauvre enfant se trouva donc absolument seule dans la forêt, et elle avait tellement peur qu'elle regardait toutes les feuilles d'arbres et ne savait plus comment s'en tirer. Elle se mit à courir, en marchant sur les pierres pointues et à travers les épines, et les bêtes sauvages passaient à côté d'elle, mais sans lui faire de mal. Elle courut aussi longtemps que ses pieds purent aller, jusqu'à la tombée de la nuit. À ce moment, elle aperçut une petite maison et y entra pour se reposer. Dans cette maison, tout était petit, mais gracieux et propre plus qu'on ne saurait le dire. Là se trouvait dressée une petite table blanche avec sept petites assiettes, et chaque petite assiette avait sa petite cuillère, et plus loin sept petits couteaux et fourchettes et sept petits verres. Le long du mur s'alignaient sept petits lits recouverts de draps blancs comme la neige. Blanche Neige était si altérée et affamée qu'elle

note

1. jeune marcassin : très jeune sanglier.

mangea un peu de légumes et de pain de chaque assiette et
75 but une goutte de vin de chaque petit verre, ne voulant pas prendre tout à un seul. Puis, comme elle était fatiguée, elle se coucha dans un lit, mais pas un n'était de mesure. Celui-ci était trop long, celui-là trop court ; à la fin le septième se trouva à sa convenance ; elle y resta donc, fit sa prière à Dieu
80 et s'endormit.

À la tombée de la nuit, les maîtres de la maison arrivèrent : c'étaient sept nains occupés tous les jours à piocher le minerai dans les montagnes. Ils allumèrent leurs sept petites lumières, et le jour s'étant fait ainsi dans la maisonnette,
85 ils s'aperçurent que quelqu'un avait été par-là, car les choses n'étaient plus dans l'ordre où ils les avaient laissées.

– Qui s'est assis sur ma petite chaise ? dit le premier.

– Qui a mangé dans ma petite assiette ? dit le deuxième.

– Qui a pris de mon petit pain ? demanda le troisième.

90 – Qui a mangé de mes petits légumes ? demanda le quatrième.

– Qui a piqué avec ma petite fourchette ? demanda le cinquième.

– Qui a coupé avec mon petit couteau ? demanda le
95 sixième.

– Qui a bu à mon petit verre ? demanda le septième.

Le premier, regardant alors autour de lui, s'aperçut que son lit était dérangé et dit :

– Qui est entré dans mon petit lit ?

100 Les autres accoururent et s'écrièrent :

– Quelqu'un a aussi couché dans le mien !

Pour le septième, quand il regarda son lit, il y aperçut Blanche Neige qui y était couchée et dormait. Il appela les autres qui coururent et se récrièrent d'admiration et allèrent
105 chercher leurs sept petites lumières pour éclairer Blanche Neige :

Illustration de Walt Disney.

– Seigneur Dieu ! s'exclamaient-ils, quelle magnifique enfant ! Et ils étaient tous joyeux qu'elle continue à dormir dans le petit lit. Quant au septième nain, il coucha avec ses
110 compagnons, une heure dans le lit de chacun d'eux, et passa ainsi la nuit.

Le matin venu, Blanche Neige se leva, et quand elle aperçut les sept nains, elle tressaillit. Mais ils se montraient aimables, et lui demandèrent :

115 – Comment t'appelles-tu ?

– Je m'appelle Blanche Neige, répondit-elle.

– Comment es-tu venue dans notre maison ? reprirent les nains.

Alors elle leur raconta que sa marâtre[1] avait voulu la faire
120 tuer, mais que le chasseur lui avait fait grâce de la vie, et qu'alors elle avait couru tout le jour, jusqu'à ce qu'elle trouve enfin leur maisonnette.

– Si tu veux surveiller notre ménage, lui dirent les nains, et faire la cuisine, faire les lits, laver, coudre et tricoter ; si tu
125 veux tenir ici tout propre et en ordre, tu peux rester avec nous, tu ne manqueras de rien.

– Bien volontiers, répondit Blanche Neige, et elle resta avec eux, et c'est elle qui tenait leur maison en ordre. Le matin, ils allaient dans les montagnes chercher du cuivre et
130 de l'or, et le soir, quand ils revenaient, il fallait que le repas soit préparé. Pendant le jour, la jeune fille était seule, et les bons nains l'exhortaient[2] bien à se garder de la marâtre qui saurait bientôt qu'elle était là ; aussi ne devait-elle laisser entrer personne.

135 Quand la reine eut mangé le foie qu'elle croyait être celui de Blanche Neige, elle ne douta plus qu'elle ne soit désormais la première et la plus belle ; aussi alla-t-elle à son miroir et lui dit :

« Miroir, dis-moi ici, franchement,
140 *Quelle est la plus belle en ce moment ? »*

Alors le miroir lui répondit :

« C'est vous la plus belle ici, dans ce moment.
Mais Blanche Neige, dans la montagne,
Où des nains elle est la compagne,
145 *L'est encore bien autrement. »*

notes

1. marâtre : deuxième femme du père, méchante envers les enfants de celui-ci.

2. l'exhortaient : lui recommandaient.

À ces mots, elle tressaillit, sachant bien que son miroir ne mentait pas, et comprit que le chasseur l'avait trompée et que Blanche Neige vivait encore. Et elle se mit à réfléchir comment elle parviendrait à la faire mourir, car, tant qu'elle ne serait pas la plus belle du pays, la jalousie ne lui laisserait point de repos. Et quand elle eut bien longtemps réfléchi, elle se peignit la figure, s'habilla comme une vieille colporteuse[1], et se trouva dans l'impossibilité d'être reconnue. Dans cet accoutrement[2], elle alla sur les sept montagnes où habitaient les sept nains, et frappa à la porte en criant :

– Achetez à bon marché ! achetez à bon marché !

– Bonjour, bonne femme, lui répondit Blanche Neige qui regardait par la fenêtre, qu'avez-vous donc à vendre ?

– Des choses superbes, des choses superbes : des ceintures brodées de toutes couleurs.

Et elle en exhiba une qui était brodée en soie bariolée.

– Je puis bien laisser entrer cette brave femme, se dit Blanche Neige qui poussa le verrou et s'acheta de belles ceintures brodées.

– Mon enfant, à quoi ressembles-tu ! lui dit la vieille. Permets-moi de t'attacher cela comme il faut.

Blanche Neige, ne se méfiant de rien, s'approcha et se laissa mettre la ceinture neuve ; mais la vieille la serra tout à coup d'une telle force que Blanche Neige en perdit le souffle et s'évanouit comme si elle était morte.

– Maintenant, tu n'es plus la plus belle, dit la vieille en sortant au plus vite.

notes

1. colporteuse : marchande qui vend ses produits de porte en porte.

2. accoutrement : habillement étrange et ridicule.

Bientôt après, à la nuit tombante, les sept nains revinrent à la maison ; mais quel ne fut pas leur effroi[1] quand ils virent 175 leur chère Blanche Neige étendue par terre, sans plus se mouvoir ni bouger que si elle était morte. Ils s'empressèrent de la relever, puis s'aperçurent qu'elle était trop serrée ; ils coupèrent sa ceinture ; elle commença à respirer un peu, et insensiblement[2] se ranima tout à fait.

180 Quand les nains apprirent ce qui était arrivé, ils lui dirent :

– Cette vieille colporteuse n'est autre que la maudite[3] reine. Prends bien garde et ne laisse entrer personne quand nous ne sommes pas auprès de toi.

Sitôt que la méchante femme rentra chez elle, elle alla à 185 son miroir et lui demanda :

« Miroir, dis-moi ici, franchement,
Quelle est la plus belle en ce moment ? »

Et le miroir répondit comme l'autre fois :

« C'est vous la plus belle ici, dans ce moment.
190 *Mais Blanche Neige, dans la montagne,*
Où des nains elle est la compagne,
L'est encore bien autrement. »

À ces mots, tout son sang lui reflua au cœur, et elle tremblait, comprenant bien que Blanche Neige était revenue 195 à la vie.

– C'est bien, dit-elle, je vais imaginer maintenant un moyen de te perdre pour de bon, et, à l'aide de la science de sorcière qu'elle possédait, elle fit un peigne empoisonné. Puis elle se déguisa et prit la tournure[4] d'une autre vieille

notes

1. *effroi* : très grande peur.
2. *insensiblement* : peu à peu.
3. *maudite* : détestable parce qu'elle fait du mal.
4. *tournure* : allure, aspect.

femme. Et elle s'en alla ainsi sur les sept montagnes où habitaient les sept nains et frappa à la porte en criant :

– Achetez à bon marché ! achetez à bon marché !

Blanche Neige regarda par la fenêtre et lui dit :

– Passez votre chemin, je ne puis laisser entrer personne.

– Bah ! tu peux bien jeter un coup d'œil là-dessus, lui répondit la vieille en exhibant son peigne empoisonné et en l'élevant vers elle.

Ce peigne charma si bien la pauvre enfant qu'elle se laissa séduire et ouvrit la porte. Quand elles furent d'accord sur le peigne, la vieille dit :

– Voyons, laisse-moi te peigner une fois comme il faut.

Sans se douter de rien, la pauvre Blanche Neige laissa faire la vieille ; mais à peine le peigne était-il planté dans ses cheveux que le poison fit effet, et la jeune fille tomba sans connaissance[1].

– Merveille de beauté ! maintenant c'est fait de toi, dit l'affreuse vieille.

Puis elle partit.

Heureusement, le soir approchait et les nains allaient revenir au logis. Quand ils virent Blanche Neige étendue comme sans vie sur le sol, ils suspectèrent de suite la marâtre, firent des recherches, trouvèrent le peigne empoisonné, et à peine l'eurent-ils retiré que Blanche Neige revint à elle et raconta ce qui était arrivé. Ils lui recommandèrent bien à nouveau d'être sur ses gardes et de n'ouvrir la porte à personne.

Chez elle, la reine s'était mise à son miroir et lui disait :

« Miroir, dis-moi ici, franchement,
Quelle est la plus belle en ce moment ? »

note

1. tomba sans connaissance : s'évanouit.

Et il répondit comme auparavant :

230 *« C'est vous la plus belle ici, dans ce moment.*
Mais Blanche Neige, dans la montagne,
Où des nains elle est la compagne,
L'est encore bien autrement. »

En entendant parler ainsi son miroir, elle frémit et trem-
235 bla de colère :

– Il faut absolument que Blanche Neige meure ! s'écria-t-elle, même s'il doit m'en coûter la vie !

Là-dessus, elle se rendit dans une chambre solitaire et cachée où personne n'entrait, et elle fit une pomme empoi-
240 sonnée. Au dehors elle était superbe, blanche, avec des joues rouges, en sorte que quiconque la voyait était pris de l'envie d'y mordre ; mais quiconque en avait mangé était condamné à mort. Quand la pomme fut terminée, elle se peignit la figure et se déguisa en paysanne, puis alla sur les sept mon-
245 tagnes où habitaient les sept nains. Elle frappa à la porte. Blanche Neige mit la tête à la fenêtre et dit :

– Je ne dois laisser entrer personne ; les sept nains me l'ont défendu.

– Ça m'est égal, répondit la paysanne, je vendrai bien mes
250 pommes ailleurs. Tiens, en voilà seulement une que je te donne.

– Non, répondit Blanche Neige, je ne dois rien accepter.

– As-tu peur du poison ? dit la vieille. Tiens, je vais la couper en deux ; tu mangeras la moitié rouge et moi la
255 blanche.

Or, cette pomme était faite avec tant d'art que la moitié rouge était seule empoisonnée.

Blanche Neige avait assez envie de la pomme ; aussi, quand elle vit que la paysanne en mangeait, ne put-elle
260 résister davantage. Elle tendit la main et prit la moitié

empoisonnée. À peine en eut-elle un morceau dans la bouche qu'elle tomba morte. La reine la contempla avec des yeux affreux, éclata de rire et dit :

– Blanche comme neige, rouge comme sang, noire comme ébène, cette fois, les nains ne pourront plus te réveiller. Et quand, de retour chez elle, elle demanda à son miroir :

« Miroir, dis-moi ici, franchement,
Quelle est la plus belle en ce moment ? »

Il répondit enfin :

« C'est vous la plus belle dans ce moment. »

Alors son cœur envieux fut en repos, autant que peut être en repos un cœur envieux et méchant.

En rentrant, le soir, les nains trouvèrent Blanche Neige étendue par terre. Plus un souffle ne sortait de sa bouche et elle était morte. Ils la relevèrent, cherchèrent s'ils trouveraient quelque chose d'empoisonné, la délacèrent, lui peignèrent les cheveux, la lavèrent avec de l'eau et du vin ; mais rien n'y fit : la pauvre enfant était morte et resta morte. Ils la mirent dans un cercueil, s'assirent autour tous les sept en pleurant, et ils la pleurèrent ainsi pendant trois jours. Alors ils voulurent l'enterrer, mais elle semblait toujours fraîche, comme une personne vivante, conservant toujours ses belles joues rouges.

– Nous ne pouvons la mettre ainsi en terre, se dirent-ils.

Et ils firent faire un cercueil de verre dans lequel on pouvait la voir de tous côtés ; ils mirent Blanche Neige dedans et écrivirent dessus son nom en lettres d'or, avec l'indication qu'elle était fille de roi. Ensuite ils portèrent ce cercueil sur la montagne, et l'un d'eux resta toujours auprès d'elle pour la garder. Les bêtes vinrent aussi pleurer Blanche Neige, d'abord un hibou, puis un corbeau, et enfin une colombe.

Illustration de 1840.

Illustration de 1870.

Blanche Neige resta ainsi longtemps dans le cercueil sans se flétrir[1] ; on eût dit au contraire qu'elle dormait, car elle était toujours blanche comme neige, rouge comme le sang, 295 avec des cheveux noirs comme l'ébène. Or, il advint[2] qu'un fils de roi traversa cette forêt et vint chez les nains pour y passer la nuit. Il vit le cercueil sur la montagne et la belle Blanche Neige dedans, et lut l'inscription en lettres d'or.

– Abandonnez-moi ce cercueil, dit-il aux nains, je vous 300 en donnerai tout ce que vous voudrez.

– Nous ne l'abandonnerions pas pour tout l'or du monde, répondirent les nains.

– Donnez-le moi, car je ne puis plus vivre sans voir Blanche Neige ; je veux lui rendre honneur comme à ma 305 bien-aimée.

En l'entendant parler ainsi, les bons nains s'apitoyèrent et lui donnèrent le cercueil. Le fils du roi le fit emporter par ses domestiques sur leurs épaules. Or, il arriva que ceux-ci trébuchèrent sur un arbuste, et la secousse fit sortir de la

notes

1. sans se flétrir : sans prendre l'aspect d'une morte.

2. il advint : il arriva.

gorge de Blanche Neige le morceau de pomme empoisonnée qu'elle avait mordu, et bientôt après elle ouvrit les yeux, souleva le couvercle du cercueil, se redressa et se retrouva vivante.

– Ah ! Dieu ! où suis-je ? s'écria-t-elle.

– Tu es près de moi, lui répondit plein de joie le fils du roi.

Puis il lui raconta ce qui avait eu lieu, après quoi il ajouta :

– Je t'aime plus que tout au monde. Viens avec moi dans le château de mon père. Il faut que tu deviennes mon épouse.

Blanche Neige lui sourit alors et s'en alla avec lui, et leur noce fut commandée avec tout l'éclat et la splendeur possibles.

La méchante marâtre de Blanche Neige fut aussi invitée à la fête. Quand elle eut mis ses beaux habits, elle alla à son miroir et lui dit :

« Miroir, dis-moi ici, franchement,
Quelle est la plus belle en ce moment ? »

Le miroir répondit :

« Vous êtes la plus belle ici pour le moment,
Mais la jeune reine l'est bien autrement. »

La méchante femme se mit alors à pester, et se sentit prise d'une angoisse à ne plus pouvoir se contenir. D'abord elle voulait ne pas aller du tout à la noce. Cependant, bon gré, mal gré, elle tenait à voir la jeune reine. En entrant dans la salle royale, elle reconnut Blanche Neige, et fut tellement saisie d'épouvante et d'angoisse qu'elle resta debout sans plus pouvoir bouger. Mais des pantoufles de fer étaient déjà posées sur un brasier ; on les apporta avec des pinces de fer et on les posa devant elle, et force lui fut de chausser ces souliers tout rouges et de danser avec jusqu'à ce qu'elle finit par tomber morte.

Illustration anonyme.

Au fil du texte

Questions sur *Blanche Neige* (pages 69 à 83)

Avez-vous bien lu ?

1. Que s'est-il passé avant la naissance de Blanche Neige ? à sa naissance ? lorsqu'elle a eu un an ?

2. Pourquoi la nouvelle épouse du roi est-elle jalouse de Blanche Neige ?

3. Que décide-t-elle ?

4. Qui laisse la vie sauve à Blanche Neige ?

5. Comment la reine est-elle trompée ?

6. Par qui est accueillie Blanche Neige ?

7. Comment s'organise désormais sa vie ?

8. Par qui la reine apprend-elle que Blanche Neige n'est pas morte ?

9. Combien de fois la reine tente-t-elle de tuer Blanche Neige ? Comment ?

10. Qui sauve Blanche Neige à chacune de ses tentatives ? De quelle manière ?

11. Quel est le sort réservé à la reine ?

Étudier le vocabulaire

12. Blanche Neige : quelle est la nature de chacun des mots composant le nom de la jolie princesse ? Rappelez pourquoi la jeune fille a été baptisée ainsi et donnez la signification de ce nom.

13. En vous aidant du texte (l. 1 à 10), dites ce qu'est l'ébène et quelle est sa couleur.

14. « *Blanche Neige était si altérée et affamée* » (l. 73). Cherchez dans un dictionnaire les différents sens de l'adjectif « altéré ». Quel est le sens que vous choisiriez ici ? Justifiez votre choix. Donnez le contraire de ce mot.

ÉTUDIER LE DISCOURS NARRATIF

15. Expliquez pourquoi les trois tentatives de la reine pour tuer Blanche Neige sont présentées dans cet ordre.

16. Blanche Neige ne suit pas les conseils de prudence des nains concernant la reine. En quoi est-ce important pour l'action ?

ÉTUDIER UN GENRE : LE CONTE MERVEILLEUX*

17. À quelle formule d'ouverture voyez-vous qu'il s'agit d'un conte ?

18. Relevez les indications de temps et de lieu (l. 1 à 4). Vous permettent-elles de dire où et quand se déroule l'histoire ?

19. La répétition est une des lois du conte merveilleux : quelles paroles et quelles actions se répètent dans ce conte ?

20. Quels sont les objets magiques ? Quelle est leur fonction ? À qui sont-ils liés ? Comment ?

21. Quel phénomène merveilleux concerne Blanche Neige ?

22. En quoi Blanche Neige et son bien-aimé sont-ils des personnages types du conte merveilleux ?

conte merveilleux : **genre caractérisé par la présence d'objets magiques, de personnages, d'événements extraordinaires.**

Étudier l'écriture

23. Dans les lignes 1 à 14, relevez deux séries de comparaisons* différentes. Pour chaque comparaison, indiquez le comparé, le comparant, l'outil de comparaison et l'élément de comparaison.

24. Dans la deuxième série de comparaisons, dites quels adjectifs sont utilisés au comparatif d'égalité.

Étudier un thème : le conte, un univers moral

comparaison : **mise en relation de deux éléments, le comparé (ce que l'on compare) et le comparant (ce avec quoi l'on compare), au moyen d'un outil de comparaison (aussi … que, comme) et par l'intermédiaire d'un élément de comparaison (blanc, rouge…).**

25. Recopiez et complétez le tableau suivant :

	Situation initiale*	Situation finale
Blanche Neige		
La reine marâtre		

* Après le remariage du roi.

26. À partir de ce tableau, expliquez pourquoi le conte est un univers moral.

À vos plumes !

27. Blanche Neige écrit à une amie pour lui raconter les événements qu'elle a vécus depuis que la reine a demandé au chasseur de la conduire dans la forêt.

28. Au moment où Blanche Neige s'apprête à mordre dans la pomme tendue par la méchante reine, un être merveilleux lui vient en aide. Imaginez une nouvelle fin à ce conte.

Les musiciens de la ville de Brême

Un homme avait un âne qui, déjà depuis bien des années, portait infatigablement les sacs au moulin, mais dont les forces touchaient à leur fin ; en sorte qu'il devenait de plus en plus impropre au travail[1]. Son maître pensait déjà à l'écorcher[2], mais l'âne, s'apercevant qu'il ne soufflait pas un bon vent[3], s'échappa et partit pour Brême, en se disant qu'il pourrait y devenir musicien de la ville. Quand il eut fait un bout de chemin, il trouva un chien de chasse étendu sur la route et aboyant comme un chien qui s'est épuisé à courir.

– Qu'as-tu donc à aboyer ainsi ? lui demanda-t-il.

– Eh ! reprit le chien, parce que je suis vieux et que je m'affaiblis de plus en plus chaque jour, et que je ne puis plus aller à la chasse, mon maître a voulu me tuer.

notes

1. impropre au travail : incapable de travailler.

2. l'écorcher : le tuer en lui arrachant la peau.

3. qu'il ne soufflait pas un bon vent : que les choses tournaient mal.

15 Alors j'ai décampé[1], mais maintenant, comment vais-je gagner mon pain ?

– Sais-tu une chose ? dit l'âne. Je vais à Brême pour y devenir musicien de la ville ; viens-y avec moi, et fais-toi recevoir aussi dans la musique[2]. Je jouerai du luth[3] et toi des 20 timbales.

Le chien fut très satisfait et ils continuèrent la route ensemble.

Un peu plus loin, ils trouvèrent sur la route un chat qui faisait une mine comme trois jours de pluie[4].

25 – Eh bien, qu'est-ce qui te vexe donc, vieux frise-moustache ? lui demanda l'âne.

– Comment serais-je gai, quand il y va de mon cou[5] ? répondit le chat. Parce que je deviens vieux, et que mes dents s'émoussent[6], et que j'aime mieux faire tranquillement 30 mon ron-ron derrière le poêle que de courir après les souris, ma maîtresse a voulu me noyer. Sans doute, j'ai réussi à décamper ; mais, maintenant, que devenir ?

– Viens à Brême avec nous ; tu es très fort en musique nocturne ; tu y deviendras musicien de la ville.

35 Le chat goûta cet avis et s'en alla avec eux. Bientôt les trois fugitifs[7] passèrent devant une cour, sur la porte de laquelle le coq de la maison criait tant qu'il pouvait.

– Tu pousses des cris qui me vont jusque dans la moelle des os, lui dit l'âne. Qu'as-tu donc ?

notes

1. j'ai décampé : je me suis sauvé.

2. musique : ici, ensemble des musiciens.

3. luth : instrument de musique à cordes.

4. une mine comme trois jours de pluie : une tête très triste.

5. quand il y va de mon cou : quand il y va de ma vie.

6. s'émoussent : s'usent.

7. fugitifs : personnes qui s'enfuient.

– J'ai annoncé le beau temps, parce que c'est le jour où Notre-Dame lave les petites chemises de l'Enfant Jésus et les fait sécher ; mais parce que, demain, on a ici des convives[1], la maîtresse impitoyable a dit à la cuisinière de me mettre demain dans la soupe, et il faut que ce soir je me laisse couper la tête. Et voilà pourquoi je crie encore à plein gosier, aussi longtemps que je le puis.

– Eh ! crête-rouge que tu es, dit l'âne ; viens-t'en plutôt avec nous à Brême. Tu trouveras partout quelque chose de mieux qu'une mort pareille. Tu as une bonne voix, et, quand nous ferons de la musique ensemble, cela aura une très bonne façon.

Le coq agréa[2] la proposition et ils partirent tous les quatre ensemble. Ne pouvant atteindre la ville de Brême d'un seul jour, ils arrivèrent de nuit dans un bois, avec le projet d'y passer la nuit.

L'âne et le chien se couchèrent sous un grand arbre ; le chat et le coq se perchèrent sur les branches, seulement le coq s'envola jusqu'à la cime, où il se trouvait le plus en sûreté. Avant de s'endormir, il regarda encore une fois dans la direction des quatre vents, et il lui sembla qu'il voyait luire au loin une étincelle et se mit à crier à ses compagnons qu'une maison devait se trouver à peu de distance, car on apercevait une lumière.

– Alors, il faut nous lever et y aller, dit l'âne, car ici on est bien mal hébergé.

Le chien se dit que quelques os, avec un peu de viande autour, lui feraient aussi du bien. Ils se mirent donc en route

notes

1. convives : invités.

2. agréa : accepta.

vers l'endroit où brillait la lumière, qui devint bientôt resplendissante, et luisait de plus en plus jusqu'à ce qu'enfin ils arrivèrent devant une maison de brigands toute illuminée. L'âne, comme le plus grand, s'approcha de la fenêtre et regarda dedans.

– Que vois-tu, grison[1] ? lui demanda le coq.

– Ce que je vois ? répondit l'âne. Une table couverte de mets superbes et de boissons, autour de laquelle sont assis des brigands qui se régalent.

– Cela nous irait bien, reprit le coq.

– Oui, oui. Ah ! si nous en étions, au moins ! continua l'âne.

Ils se mirent à discuter comment s'y prendre pour faire partir les brigands et trouvèrent enfin un moyen. L'âne devait d'abord poser ses pieds de devant sur la fenêtre, le chien sauter sur le dos de l'âne, le chat grimper sur le chien, puis enfin le coq voler tout en haut sur la tête du chat. Cela fait, ils commencèrent ensemble, à un signal donné, à faire leur musique : l'âne brayait, le chien aboyait, le chat miaulait, et le coq chantait ; puis ils se précipitèrent, par la fenêtre, dans la chambre, en faisant voler les carreaux avec un horrible fracas. À ces cris affreux, les brigands se levèrent brusquement, persuadés que c'était un revenant qui entrait, et s'enfuirent tout effrayés dans la forêt. Alors les quatre camarades se mirent donc à table et se régalèrent bien de ce qui restait, en avalant comme s'ils étaient à jeun[2] depuis quatre semaines.

Quand les quatre musiciens eurent fini, ils éteignirent la chandelle[3] et cherchèrent un lieu pour se reposer, chacun

notes

1. ***grison :*** nom donné à l'âne à cause de sa couleur.

2. ***s'ils étaient à jeun :*** s'ils n'avaient rien mangé, rien bu.

3. ***chandelle :*** bougie.

selon sa nature et sa commodité. L'âne se coucha sur le fumier, le chien derrière la porte, le chat au foyer près de la cendre chaude, et le coq sur le perchoir des poules, et, 100 comme ils étaient fatigués de leur long voyage, ils s'endormirent bientôt. Quand minuit fut passé et que les brigands virent de loin qu'il n'y avait plus de lumière dans la maison, où tout paraissait tranquille, le capitaine dit :

– Nous n'aurions cependant pas dû nous laisser chasser 105 ainsi !

Et il envoya un de ses hommes visiter la maison. L'envoyé trouva tout tranquille, entra à la cuisine, voulut allumer une lumière et, prenant les yeux ardents et enflammés du chat pour des charbons allumés, il en approcha une allumette 110 pour qu'elle prenne feu. Mais le chat, qui n'entendait pas la plaisanterie, lui sauta à la figure en le griffant et en soufflant. Il eut horriblement peur, et voulut s'enfuir par la porte de derrière. Mais le chien, qui était couché là, lui sauta dessus et le mordit à la jambe, et quand arrivé dans la cour, il passa 115 près du fumier, l'âne lui donna encore une violente ruade de son pied de derrière ; pendant que le coq, réveillé de son sommeil par ce vacarme et devenu tout gaillard, criait du haut de son perchoir : « Kikeriki ! »

Le brigand retourna donc aussi lestement[1] qu'il pouvait 120 courir à son capitaine, et lui dit :

– Dans la maison, il y a une horrible sorcière qui m'a soufflé contre[2], en me griffant la figure avec ses longs doigts. Devant la porte, il y a un homme avec un couteau qu'il m'a planté dans la jambe. Dans la cour est couché un monstre

notes

1. ***lestement :*** rapidement.

2. ***contre :*** dessus.

125 noir qui m'a frappé avec un coin de bois et, tout en haut, sur le toit, il y a un juge qui crie : « Amenez-moi ce brigand ! » Aussi me suis-je empressé de décamper.

Depuis ce moment, les brigands n'osèrent plus rentrer dans la maison, où les quatre musiciens se trouvèrent si bien 130 qu'ils n'en voulurent plus sortir. Et la bouche en est encore chaude à celui qui l'a raconté le dernier.

Illustration de Bertall.

Au fil du texte

Questions sur *Les musiciens de la ville de Brême* (pages 87 à 92)

Avez-vous bien lu ?

1. Quelle décision de son maître oblige l'âne à partir ?

2. Quelle est la cause de cette décision ?

3. Où l'âne décide-t-il de se rendre ?

4. Quels animaux rencontre-t-il successivement ?

5. Quelle proposition leur fait-il ?

6. Quelle raison chacun a-t-il de le suivre ?

7. Pourquoi les animaux s'arrêtent-ils à la nuit ?

8. Où et comment s'installent-ils ?

9. Pourquoi est-ce le coq qui aperçoit la lumière de la maison ?

10. Quelle proposition l'âne fait-il alors à ses camarades ?

11. Pourquoi est-ce l'âne qui regarde à l'intérieur de la maison ?

12. Qu'y découvre-t-il ?

13. Comment les animaux s'organisent-ils pour effrayer et chasser les brigands ?

14. Où chaque animal se couche-t-il après le dîner ?

15. À quelle heure l'un des brigands décide-t-il de revenir à la maison ?

16. Comment chacun des animaux intervient-il pour le chasser ?

17. Dites, pour chacun des animaux, à qui le brigand croit avoir eu affaire.

18. Le titre vous paraît-il rendre compte de l'histoire ? Justifiez votre réponse.

ÉTUDIER LE VOCABULAIRE ET LA GRAMMAIRE

19. Quel est le champ lexical* dominant, lignes 59 à 72 (depuis « *Avant de s'endormir* » jusqu'à « *regarda dedans* ») ? Relevez les mots lui appartenant et classez-les selon leur nature grammaticale.

20. « Apercevoir » : seuls sept verbes de la langue française commençant par le son *ap-* ne prennent qu'un seul *p*. Trouvez-les en complétant les définitions suivantes :
– ramener le calme : *ap*............... ;
– faire peur : *ap*............... ;
– faire pitié : *ap*............... ;
– rendre plan : *ap*............... ;
– rendre plus plat : *ap*............... ;
– s'adresser brusquement à quelqu'un : *ap*............ .

champ lexical : **ensemble des mots se rapportant à un même thème.**

système du passé : **système de temps où l'on utilise principalement l'imparfait, le passé simple, le plus-que-parfait et le passé antérieur.**

ÉTUDIER LE DISCOURS

21. Relevez et classez les verbes conjugués à l'imparfait et au passé simple, lignes 1 à 10.

22. À quel temps sont conjugués les verbes rapportant les actions de l'âne ?

23. À quel temps sont conjugués ceux présentant la situation ou les réflexions de l'âne ou de son maître ?

24. En deux ou trois phrases, résumez l'emploi de l'imparfait et du passé simple dans un récit écrit au système du passé*.

ÉTUDIER LE GENRE DU TEXTE

25. Ce conte commence-t-il de la même manière que les autres contes ?

26. Existe-t-il des indications de temps ? de lieu ?

27. Les animaux ont-ils des pouvoirs merveilleux ?

ÉTUDIER L'ÉCRITURE : LE COMIQUE*

28. Dans ce conte, relevez un exemple concernant :
– le comique de situation* ;
– le comique de mots* ;
– le comique de caractère*.

29. Quelle est, dans ce conte, la principale source du comique ?

ÉTUDIER UN THÈME : DE L'ANIMAL À L'ÊTRE HUMAIN

30. Tout au long du texte, relevez des traits de caractère qui apparentent l'âne, le chien, le chat et le coq à un être humain, à un animal.

31. Comment appelle-t-on ce procédé qui consiste à donner à un animal les qualités et le comportement d'un être humain ?

À VOS PLUMES !

32. Un de vos camarades était absent le jour où vous avez étudié ce conte. Vous lui écrivez une lettre dans laquelle vous le lui résumez. N'oubliez pas de respecter les consignes propres au genre de la lettre.

33. Écrivez une suite à ce conte en utilisant le système du passé.

comique : **qui provoque le rire.**

comique de situation : **comique qui naît de la situation des personnages ou de leurs relations.**

comique de mots : **comique lié au langage, à l'accent des personnages, aux jeux de mots, répétitions…**

comique de caractère : **comique dans lequel c'est un personnage qui est drôle.**

Le grand-père et le petit-fils

Il était une fois un homme vieux, vieux comme les pierres. Ses yeux voyaient à peine, ses oreilles n'entendaient guère et ses genoux chancelaient. Un jour, à table, ne pouvant plus tenir sa cuillère, il répandit de la soupe sur la nappe et même un peu sur sa barbe.

Son fils et sa belle-fille en prirent du dégoût et désormais le vieillard mangea seul, derrière le poêle[1], dans un petit plat de terre à peine rempli. Aussi regardait-il tristement du côté de la table et des larmes roulaient sous ses paupières. Un autre jour que ses mains tremblantes ne pouvaient tenir le plat, celui-ci tomba sur le sol et se brisa.

Le vieillard ne dit rien et se contenta de pousser un soupir. Alors les jeunes gens achetèrent pour quelques heller[2] une écuelle de bois dans laquelle ils lui donnèrent désormais à manger.

notes

1. poêle : appareil de chauffage dans lequel on brûle du bois, du charbon…

2. quelques heller : quelques sous (petite monnaie).

Or, un soir, pendant que les jeunes gens soupaient à table, tandis que le bonhomme était assis dans son coin, ils virent leur fils, âgé de quatre ans, assembler par terre de petites
20 planches.

« Que fais-tu là ? lui demanda le père.

– Une petite écuelle, répondit le garçon, pour faire manger papa et maman quand je serai grand. »

L'homme et la femme se regardèrent en silence… Ils
25 rappelèrent l'aïeul [1] à leur table et ne dirent plus rien quand il renversait un peu de soupe.

Illustration de Bertall.

note

1. aïeul : grand-père.

Au fil du texte

Questions sur *Le grand-père et le petit-fils* (pages 96-97)

Avez-vous bien lu ?

1. Établissez la liste des personnages de ce conte en donnant leurs liens de parenté.

2. Quels sont les handicaps physiques du vieillard ?

3. Où mange le vieillard ? Pour quelle raison ?

4. Mange-t-il à sa faim ? Justifiez votre réponse à partir du texte.

5. Dans quoi est-il finalement amené à prendre sa soupe ? Pourquoi ?

6. Qui permet au vieillard de reprendre sa place parmi les siens ?

substituts nominaux : **autres noms.**

synonymes : **mots qui sont d'un sens très proche.**

Étudier le vocabulaire et la grammaire

7. Relevez dans l'ensemble du texte les substituts nominaux* utilisés pour désigner le grand-père. Quelle idée en donnent-ils ?

8. Donnez la définition du nom *« écuelle »* (l. 15). À qui est le plus souvent destinée une écuelle ? Comment les jeunes gens considèrent-ils le vieillard ?

9. À l'aide du dictionnaire, trouvez dans la liste suivante les synonymes* du verbe *« chanceler »* (l. 3) : flageoler – traîner – tituber – trébucher – errer – lambiner – trottiner – vaciller.

Étudier un conte réaliste

10. Par quelle formule débute cette histoire ?

11. Y a-t-il des éléments qui permettent de la situer dans un temps et dans un lieu précis ?

12. Comment vivent les personnages présents dans l'histoire ?

13. Appartiennent-ils au domaine du merveilleux* ou pourriez-vous les rencontrer dans la réalité ?

14. Quels adjectifs utiliseriez-vous pour qualifier le comportement du fils vis-à-vis du père ?

15. Qui apporte la leçon de morale et comment ?

16. À partir de tous ces éléments, donnez une brève définition du conte réaliste.

merveilleux : **genre caractérisé par la présence d'objets magiques, de personnages, d'événements extraordinaires.**

Étudier un thème : la sagesse de l'enfant

17. En quoi le comportement du petit enfant est-il étonnant ?

18. Lisez, dans les *Fabliaux du Moyen Âge* (Bibliocollège n° 10), le fabliau intitulé *La couverture partagée.* Comparez les deux récits.

À vos plumes !

19. Transformez ce conte en une courte scène de théâtre, en respectant les lois qui sont propres à ce genre.

Retour sur l'œuvre

1. Les contes que vous venez de lire sont :

☐ de Perrault.
☐ des frères Grimm.
☐ d'Andersen.

2. Ils ont été rédigés au :

☐ XVIIe siècle.
☐ XIXe siècle.

3. Associez à chacun des contes cités le héros ou l'héroïne correspondant(e).

A. Jeune princesse menacée de mort par sa marâtre, jalouse de sa beauté.
B. Petit cabri qui sauve ses frères de la mort.
C. Jeune princesse que son père force à respecter la parole qu'elle a donnée à une grenouille.
D. Petit garçon qui, grâce à sa sagesse, rend le bonheur à son grand-père.
E. Animaux qui échappent à la mort grâce à leur goût pour la musique.
F. Jeune fille paresseuse qui, grâce à un mensonge de sa mère et à l'aide de trois vieilles femmes, devient reine.
G. Petit héros comique dont la réussite repose sur la ruse.
H. Petits enfants abandonnés dans la forêt par leurs parents trop pauvres pour les nourrir.

a. Le vaillant petit tailleur.
b. Le loup et les sept cabris.
c. Hänsel et Gretel.
d. Blanche Neige.
e. Les trois fileuses.
f. Le grand-père et le petit-fils.
g. Les musiciens de la ville de Brême.
h. Le roi grenouille.

4. Dans *Le roi grenouille*, la princesse et la grenouille font connaissance parce que la princesse a perdu :
☐ sa couronne.
☐ sa boule.

5. La grenouille se métamorphose en un beau prince lorsque la princesse :
☐ lui ouvre la porte.
☐ la jette contre le mur de sa chambre.

6. Dans *Le loup et les sept cabris*, le plus jeune cabri échappe à la mort en se cachant dans :
☐ l'armoire.
☐ la caisse de l'horloge.

7. Le plus jeune cabri aide sa mère à délivrer ses frères, prisonniers dans :
☐ le ventre du loup.
☐ le fond d'un puits.

8. Hänsel et Gretel, abandonnés par leurs parents, ne retrouvent pas leur chemin parce que :
☐ les oiseaux ont mangé les miettes de pain que Hänsel a semées.
☐ les animaux de la forêt ont mangé les miettes de pain que Hänsel a semées.

9. La sorcière veut manger :
☐ Hänsel. ☐ Gretel.

10. Pour faire mourir la sorcière, Gretel la pousse dans :
☐ un chaudron rempli d'eau bouillante.
☐ un four très chaud.

11. Pour regagner leur maison, les deux enfants sont aidés par :
☐ un canard.
☐ un oiseau.
☐ une oie.

12. *Le vaillant petit tailleur* est un conte comique parce qu'il repose sur :
☐ un quiproquo*.
☐ une personnification*.

quiproquo : **erreur qui fait prendre une personne ou une chose pour une autre.**

personnification : **fait de parler d'une chose ou d'un animal comme s'il s'agissait d'un être humain.**

13. La principale qualité du petit tailleur est :
☐ la vaillance. ☐ la ruse.

14. Dans *Les trois fileuses* :
– celle qui fait tourner la roue a ....
....
....
– celle qui lèche le fil a ....
....
....
– celle qui tord le fil a ....
....
....

15. Lorsque le fiancé découvre l'infirmité des vieilles femmes, il décide que sa fiancée :
....

16. Blanche Neige retrouve la vie parce que :
☐ le prince lui ôte le morceau de pomme empoisonnée qu'elle a dans la gorge.
☐ le morceau de pomme empoisonné sort de sa gorge après une secousse reçue par le cercueil.

17. Dans *Les musiciens de la ville de Brême*, les animaux héros de l'histoire sont :

....

18. À la fin du conte, les animaux :

☐ deviennent musiciens à Brême.

☐ s'installent dans la maison d'où ils ont délogé les brigands.

19. Quels sont les quatre contes de ce recueil qui se terminent par un mariage ?

....

....

....

....

20. Quels sont les deux contes qui commencent par « Il était une fois... » ?

....

21. Quel conte préférez-vous ? Pourquoi ?

....

....

....

Dossier Bibliocollège

Schéma narratif

Dans un conte, les événements s'enchaînent logiquement. Cet enchaînement logique des événements se nomme le **schéma narratif**.
En voici les cinq étapes.
– Présentation du cadre de l'histoire et de la situation des personnages : **situation initiale**.
– Rupture de l'équilibre et mise en route de l'action : **élément perturbateur**.
– Suite des actions : **péripéties**.
– Action qui marque la fin des aventures du héros : **élément de résolution**.
– Situation des personnages à la fin du conte : **situation finale**.

Illustration de Ludwig Richter, 1870.

LE SCHÉMA NARRATIF DU CONTE : *HÄNSEL ET GRETEL*

• Situation initiale

Un pauvre bûcheron et sa femme,
après la famine qui est survenue
dans leur pays, n'ont plus de quoi
nourrir Hänsel et Gretel,
leurs deux enfants.

↓

• Élément perturbateur

Un soir, les parents décident
d'abandonner leurs enfants
le lendemain dans la forêt.

↓

• Suite de péripéties

1. Premier abandon.
2. Deuxième abandon.
3. Séjour chez la sorcière.

↓

• Élément de résolution

Mort de la sorcière.

↓

• Situation finale

Les enfants retrouvent leur père
(la marâtre est morte)
et connaissent un bonheur parfait.

Il était une fois les frères Grimm

Wilhelm

Jacob

Une éducation sévère

Il était une fois, au pays de Hesse, en Allemagne, deux frères qui avaient pour nom Grimm et pour prénoms Jacob et Wilhelm. Jacob, l'aîné, était né en 1785 ; Wilhelm, le plus jeune, en 1786.

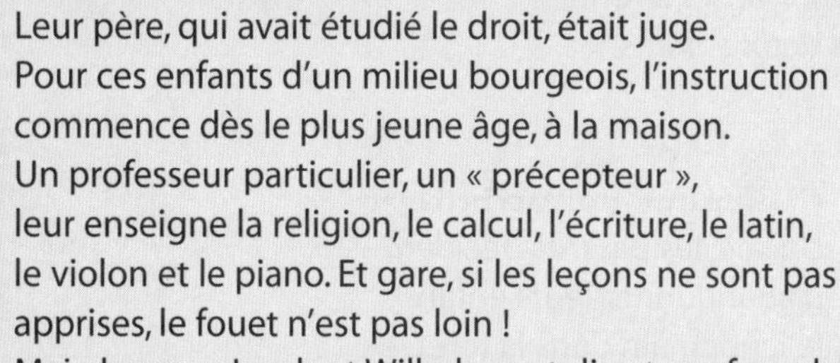

Leur père, qui avait étudié le droit, était juge.
Pour ces enfants d'un milieu bourgeois, l'instruction commence dès le plus jeune âge, à la maison.
Un professeur particulier, un « précepteur », leur enseigne la religion, le calcul, l'écriture, le latin, le violon et le piano. Et gare, si les leçons ne sont pas apprises, le fouet n'est pas loin !
Mais, lorsque Jacob et Wilhelm ont dix et neuf ans, leur père meurt. Leur mère, seule avec six enfants, connaît de grandes difficultés financières. Jacob et Wilhelm, qui sont les aînés, deviennent élèves du lycée de Kassel ; leurs nombreuses qualités attirent l'attention de leurs professeurs. Après de brillantes études, pour faire plaisir à leur mère et dans le souvenir de leur défunt père, ils entreprennent des études de droit.

Une vocation littéraire

Très rapidement, les deux frères se rendent compte que ces études ne les intéressent guère. Leur véritable passion, c'est la littérature. C'est pourquoi ils préfèrent se tourner vers l'étude de la langue et de la littérature allemandes.
Après leurs études, les deux frères obtiennent des postes de bibliothécaires à Kassel, puis deviennent

Dates clés

1785 : naissance de Jacob Grimm.

1786 : naissance de Wilhelm Grimm.

1795 : mort de leur père ; les deux frères partent pour le lycée.

1802-1803 : début de leurs études de droit qu'ils abandonnent rapidement.

Château de Wilhelmshöhe, près de Kassel. Gravure anonyme.

Actuel musée de Kassel. Les deux frères y furent bibliothécaires de 1814 à 1816. Lithographie d'après A. Wenderoth.

professeurs à l'université de Göttingen. En plus de ses occupations de professeur, Jacob participe à la vie politique de son pays. Après avoir travaillé pour le roi de Wesphalie, qui est le frère de Napoléon Ier, il commence une carrière diplomatique.
Wilhelm, quant à lui, se consacre exclusivement à la littérature.
Leur passion pour tout ce qui touche au passé de leur pays se fait chaque jour plus grande. Leurs amis, les poètes Achim von Arnim (1781-1831) et Clemens Brentano (1778-1842) ont commencé des recherches sur les vieilles chansons allemandes. Poussés par leur exemple, Jacob et Wilhelm choisissent de rassembler les histoires que l'on entend dans les campagnes, celles que les conteurs et les conteuses racontent aux villageois, le soir, dans les veillées.

Dates clés

1807 : début des enquêtes destinées à rassembler les contes.

1812-1815 : parution des *Contes de l'enfance et du foyer*.

Des enquêteurs passionnés

C'est près de chez eux, dans la région de Kassel, qu'à partir de 1807 les frères Grimm entreprennent de rechercher ces contes. Après avoir écouté les conteurs et les conteuses, ils écrivent leurs récits en respectant fidèlement ce qu'ils ont entendu et en conservant le vocabulaire et les structures grammaticales propres à la tradition populaire et orale.
Wilhelm est particulièrement séduit par les talents de conteuse de Dorothea Viehmann, une solide paysanne. C'est d'elle qu'il recueillera une bonne partie des quelque deux cents contes qui paraîtront de 1812 à 1815 sous le nom de *Contes de l'enfance et du foyer*.

Une autre conteuse tient une place importante dans la vie de Wilhelm : son amie d'enfance Dorothea Wild. Elle devient sa femme en 1825 et lui donne trois enfants. Jacob reste célibataire et partage la vie de son frère et de sa belle-sœur. Ensemble, les deux frères travaillent à un *Dictionnaire de la langue allemande* qu'ils mettront plus de vingt-cinq ans à achever. Seul, Jacob se consacre à la publication d'une *Grammaire* et d'une *Histoire de la langue allemande*.

Immédiatement, les contes remportent un très grand succès. Jacob et Wilhelm sont élus en 1841 membres de l'Académie des sciences de Berlin. C'est là qu'ils passent la fin de leur vie et qu'ils meurent : Wilhlem à 73 ans, en 1859 ; Jacob à 78 ans, en 1863.

Dates clés

1825 : mariage de Wilhelm et Dorothea Wild.

1838 : début du travail en vue de la publication d'un *Dictionnaire de la langue allemande.*

1841 : les deux frères sont élus à l'Académie des sciences.

1859 : mort de Wilhelm Grimm.

1863 : mort de Jacob Grimm.

Dorothea Viehmann.
Eau-forte de Ludwig Emil Grimm, 1819.

Vivre en Allemagne au temps des frères Grimm

Le XIXe siècle est pour tous les pays d'Europe un siècle de profonds bouleversements politiques, économiques et sociaux.
Pour les Allemands, ce siècle sera principalement marqué par l'unité politique.

À retenir

Au XIXe siècle : historiens et artistes s'intéressent à tout ce qui touche le passé de leur pays.

Au début du XIXe siècle : les pays allemands forment une mosaïque d'États.

La prise de conscience d'une identité culturelle

Après les guerres napoléoniennes, qui ont meurtri de nombreux États allemands, les intellectuels s'attachent à préciser la notion de nation qu'ils définissent essentiellement par sa langue et sa culture. Les travaux des frères Grimm sur la langue allemande ainsi que leurs recherches sur les contes issus du folklore germanique s'inscrivent dans ce courant, et sont le reflet des idées littéraires et philosophiques du XIXe siècle qui voient écrivains, historiens, artistes se pencher sur le passé de leur pays pour le faire renaître.

Une mosaïque d'États en route vers l'unité

En effet, au début du XIXe siècle, à l'époque des frères Grimm, le pays qu'aujourd'hui l'on appelle Allemagne

n'existe pas encore. À sa place, un très grand nombre de petits États : chacun possède son propre gouvernement, ses propres lois, sa propre monnaie, sa propre religion (certains États sont catholiques, d'autres protestants), sa propre langue (il existe de très nombreuses formes de la langue allemande à cette époque).
Peu à peu, les Allemands, en liaison avec la prise de conscience de leur identité culturelle, comprennent que seule une union leur permettra de s'imposer face aux autres pays européens et particulièrement face à la France ou à l'Angleterre.
À cette époque, le royaume de Prusse, dont la capitale est Berlin, est le plus vaste et le plus puissant des États allemands. En 1862, le roi de Prusse nomme un nouveau chancelier (Premier ministre) : Bismarck, un homme décidé qui se fait le champion de l'unité allemande.
En 1866, après la victoire remportée par la Prusse sur l'Autriche, Bismarck réalise l'union des États du nord de l'Allemagne. En 1870, la victoire que la Prusse remporte sur la France permet à Bismarck de réaliser l'union de tous les États allemands. En 1871, le roi de Prusse Guillaume Ier devient empereur d'Allemagne.

À retenir

En 1870 : naissance de l'Allemagne ; le roi de Prusse en devient l'empereur.

Au milieu du XIXe siècle : débuts de la « révolution industrielle ».

La société

C'est au milieu du XIXe siècle que les pays allemands vivent les changements liés au progrès des sciences et des techniques que l'on nomme « révolution industrielle » : le charbon est exploité dans la région de la Ruhr ; les usines de textile se modernisent ; les premières véritables usines chimiques apparaissent. La Saxe et la Prusse deviennent des États riches.

Pourtant, les trois quarts de la population allemande habitent encore à la campagne et la majeure partie de la population est formée de paysans qui connaissent des difficultés : les terres qu'ils cultivent ne leur fournissent que de faibles revenus ; leur production leur permet à peine de nourrir leur famille.
La vie des artisans, nombreux dans les villes, n'est guère meilleure car ils commencent à souffrir de la concurrence des premières entreprises industrielles.
Comme dans les autres pays européens, seule la bourgeoisie, classe dirigeante de la société, profite réellement des changements.

À retenir

Au milieu du XIXe siècle : la population allemande reste surtout rurale.

Photo de Jacob et Wilhelm Grimm, 1855.

Un genre littéraire : le conte

À la suite de Perrault, leur illustre prédécesseur français du XVIIe siècle, les frères Grimm permettent à des récits appartenant à la tradition orale et folklorique de l'Allemagne de passer dans le domaine de l'écrit ; la qualité du travail des deux frères et l'intérêt que suscitent ces contes leur donnent rang d'œuvre littéraire à part entière. Œuvre littéraire destinée, certes, à distraire le lecteur, mais aussi à l'instruire, à le faire réfléchir, le conte répond à des caractéristiques bien particulières.

Un temps et un lieu indéterminés

Les formules traditionnelles d'ouverture des contes : « *Il était une fois* », « *Il y avait une fois* », « *Au temps jadis où les enchantements étaient encore en usage* », etc. et l'absence de date dans le texte ne permettent pas de situer avec précision le moment de l'action. L'emploi de l'imparfait place le récit dans un passé lointain et indéterminé.
Si le cadre spatial est plus précis et permet parfois l'identification de certains éléments (un royaume, un château, une forêt…), aucun nom ne donne la possibilité de le situer géographiquement.
Ces absences de précisions, empêchant l'illusion de la réalité, permettent au conte d'avoir une portée universelle.

À retenir

Le genre : dans un conte, l'histoire ne peut être ni datée avec précision ni située sur le plan géographique.

Le héros

Personnage de condition modeste (le vaillant petit tailleur, Hänsel et Gretel) ou princesse aux prises avec une abominable marâtre (Blanche Neige), le héros du conte merveilleux n'est que brièvement présenté au lecteur ; son portrait physique ou moral ne retient que les traits indispensables au fonctionnement du conte : la ruse du petit tailleur, la beauté de Blanche Neige, la paresse de la jeune fille du conte *Les trois fileuses*… Ce héros n'est pas forcément un être humain : il peut aussi prendre la forme d'un animal comme dans *Le loup et les sept cabris* ou *Les musiciens de la ville de Brême*.

Les difficultés que rencontre le héros lui attirent immédiatement la sympathie du lecteur. Celle-ci ne cesse de croître tout au long du conte, soit que le héros, grâce à son intelligence, sa sagesse, son courage…, déjoue les situations périlleuses auxquelles il se trouve confronté (le petit cabri, Hänsel et Gretel), soit que, accablé par le destin, il finisse par recevoir une aide inattendue qui assurera son bonheur.

Dans tous les cas, le héros, bon et généreux, triomphe des épreuves qui lui sont proposées et se voit enfin récompensé.

À retenir

Le héros : il triomphe de toutes les difficultés et se voit finalement récompensé.

Le conte : il présente des personnages et des objets qui ne peuvent se rencontrer dans le monde de la réalité.

Le merveilleux

L'univers des contes est avant tout celui du merveilleux : toute vraisemblance et toute logique y sont oubliées, l'extraordinaire y est roi, tout peut arriver sans que les personnages – et le lecteur – en soient surpris.

Les animaux des contes y sont personnifiés et dotés de comportements humains : la chèvre et son petit cabri font preuve de réflexion et de sagesse pour sauver leurs fils et frères, les animaux-musiciens de la ville de Brême réussissent à faire fuir les brigands…

Le monde dans lequel évolue le héros du conte est un monde coupé du réel, peuplé d'êtres aux pouvoirs étranges et surnaturels : ogres, géants, sorcières, fées… Certains objets, de par les pouvoirs merveilleux qu'ils possèdent, tiennent une place déterminante dans la progression du conte : le miroir de la marâtre de Blanche Neige qui, à chaque interrogation de celle-ci, lui rappelle l'existence et la beauté de sa rivale et ranime en elle le désir de la tuer ; la merveilleuse maisonnette de gâteau et de sucre découverte par Hänsel et Gretel, qui n'a été construite par la sorcière que dans le but d'attirer des enfants pour ensuite les manger… Présentes encore, dans ce monde merveilleux, les métamorphoses comme celle du roi transformé en grenouille et ramené à sa forme première grâce à une jolie princesse.
Chez les frères Grimm, pourtant, certains contes n'utilisent pas le merveilleux : le conte intitulé *Le grand-père et le petit-fils* en est un exemple.

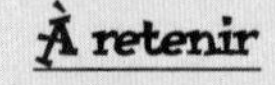

La fonction du conte : il doit instruire le lecteur et le faire réfléchir.

La fonction éducative chère aux contes existe dans les contes de Grimm, même si ceux-ci ne s'achèvent pas par une morale. À travers des contes comme *Blanche Neige* ou *Le loup et les sept cabris*, chacun apprend à se méfier des apparences ; la morale, quant à elle, est sauve puisque les « bons » sont récompensés et les « méchants » punis.

Groupement de textes :
Sorcières du XXe siècle

Universel, le personnage de la sorcière peut prendre des aspects divers et singuliers. Si les sorcières du XXe siècle ne sont que de lointaines parentes de leurs cousines des contes de fées, elles restent cependant des personnes troublantes, douées de pouvoirs magiques et avec lesquelles il faut être sur ses gardes !

Reconnaître une sorcière

La première question que vous devez vous poser, pour éviter de gros désagréments et savoir quelle conduite tenir, est : « Comment reconnaît-on une sorcière ? » Si vous voulez le savoir, lisez les explications que cette grand-mère donne à son petit-fils.

Aujourd'hui, commença Grand-mère, je vais t'apprendre les détails qui permettent de reconnaître une sorcière.
– À coup sûr ? demandai-je.
– Pas vraiment, répondit-elle. C'est bien là le problème. Mais cela pourra t'être utile.
Elle laissa tomber les cendres de son cigare sur sa robe, et j'espérai qu'elle ne prendrait pas feu avant de m'avoir fait ses révélations.
– D'abord, dit-elle, une sorcière porte des gants.
– Pas toujours, dis-je. Pas en été, lorsqu'il fait chaud.
– Même en été, dit Grand-mère. Elle doit porter des gants. Veux-tu savoir pourquoi ?
– Bien sûr, répondis-je.
– Parce qu'une sorcière n'a pas d'ongles. Elle a des griffes, comme un chat, et elle porte des gants pour les cacher.

Remarque que beaucoup de femmes portent des gants, surtout en hiver. Donc, ce détail est insuffisant.
– Maman portait des gants, dis-je.
– Pas à la maison, dit Grand-mère. Les sorcières portent des gants, même chez elles. Elles ne les enlèvent que pour aller dormir.
– Comment sais-tu tout ça, Grand-mère ?
– Ne m'interromps pas sans cesse, dit-elle. Écoute-moi jusqu'au bout. Ensuite une sorcière est toujours chauve.
– Chauve ! m'exclamai-je.
– Chauve comme un œuf, poursuivit Grand-mère.
Quel choc ! Une femme chauve, cela ne court pas les rues !
– Pourquoi sont-elles chauves, Grand-mère ?
– Ne me demande pas pourquoi, répliqua-t-elle. Mais tu peux me croire. Aucun cheveu ne pousse sur la tête d'une sorcière.
– C'est horrible !
– Répugnant ! dit Grand-mère.
– Si les sorcières sont chauves, dis-je, il est facile de les démasquer.
– Pas du tout, répliqua Grand-mère. Une sorcière porte toujours une perruque, une perruque de première qualité. Il est à peu près impossible de distinguer sa perruque de véritables cheveux. À moins de lui tirer les cheveux !
– C'est ce que je ferai.
– Ne sois pas idiot, dit Grand-mère. Tu ne peux pas tirer les cheveux de toutes les femmes que tu rencontres, même si elles portent des gants ! Essaie, et tu verras ce qui t'arrivera. [...]
–Y a-t-il d'autres trucs pour reconnaître une sorcière ?
– Oui, répondit Grand-mère. Observe les narines. Les sorcières ont des narines plus larges que la plupart des gens. Le bord de leurs narines est rose et recourbé, comme celui d'une coquille Saint-Jacques.
– Pourquoi ont-elles de si larges narines ? demandai-je.
– Pour mieux sentir, répondit Grand-mère. Une sorcière a un flair stupéfiant. Elle peut flairer un enfant qui se trouve de l'autre côté de la rue, en pleine nuit.
– Elle ne pourrait pas me sentir, dis-je. Je viens de prendre un bain !

– Détrompe-toi ! s'écria Grand-mère. Un enfant propre sent horriblement mauvais pour une sorcière. Plus tu es sale, moins elle te sent. […]
– Dis-moi vite un autre détail pour repérer une sorcière, demandai-je, voulant changer de sujet.
– Les yeux, dit Grand-mère. Observe bien les yeux. Les yeux d'une sorcière sont différents des tiens ou des miens. Regarde bien la pupille toujours noire chez les gens. La pupille d'une sorcière sera colorée et tu y verras danser des flammes et des glaçons ! De quoi te donner des frissons !
Grand-mère, satisfaite, s'enfonça dans son fauteuil et rejeta une bouffée de son cigare qui empestait. Moi, j'étais assis à ses pieds, la regardant, fasciné. Elle ne souriait pas, elle avait l'air très sérieuse.
–Y a-t-il d'autres détails ? demandai-je.
– Oui, bien sûr, dit Grand-mère. Tu ne sembles pas très bien comprendre que les sorcières ne sont pas de vraies femmes ! Elles ressemblent à des femmes. Elles parlent comme des femmes. Elles agissent comme des femmes. Mais ce ne sont pas des femmes ! En réalité, ce sont des créatures d'une autre espèce, ce sont des démons déguisés en femmes. Voilà pourquoi elles ont des griffes, des crânes chauves, des grandes narines et des yeux de glace et de feu. Elles doivent cacher tout cela, pour se faire passer pour des femmes.
– Y a-t-il d'autres trucs pour les démasquer, Grand-mère ? répétai-je.
– Les pieds, dit-elle. Elles n'ont pas d'orteils.
– Pas d'orteils ! m'écriai-je. Mais qu'est-ce qu'elles ont à la place ?
– Rien, répondit Grand-mère. Elles ont des pieds au bout carré, sans orteils.
– Marchent-elles avec difficulté ? demandai-je.
– Un peu, répondit Grand-mère. Elles ont quelques problèmes avec les chaussures. Toutes les femmes aiment porter de petits souliers pointus, mais une sorcière, dont les pieds sont très larges et carrés, éprouve un véritable calvaire pour se chausser.
– Pourquoi ne portent-elles pas des souliers confortables au bout carré ?

– Elles n'osent pas, répondit Grand-mère. De même qu'elles cachent leur calvitie sous des perruques, les sorcières cachent leurs pieds carrés dans de jolies chaussures pointues.
– Ce doit être terriblement inconfortable, dis-je.
– Extrêmement inconfortable, dit Grand-mère. Mais elles les portent quand même.
– Donc, ce détail-là ne m'aidera pas à reconnaître une sorcière ? dis-je.
– En effet ! soupira Grand-mère. Tu peux, si tu es très attentif, reconnaître une sorcière parce qu'elle boite légèrement.
– Est-ce qu'il y a d'autres détails, Grand-mère ?
– Oui, il y a un détail de plus, répondit Grand-mère, un dernier détail : la salive d'une sorcière est bleue.
– Bleue ! m'écriai-je. C'est impossible ! Aucune salive n'est bleue.
– Bleu myrtille ! précisa-t-elle.
– C'est absurde, Grand-mère. Aucune femme n'a la salive bleu myrtille !
– Si, les sorcières ! répliqua-t-elle.
– Bleue comme de l'encre ? demandai-je.
– Exactement, dit-elle. Elles utilisent des porte-plume et elles n'ont qu'à lécher la plume pour écrire.
– Si une sorcière me parlait, je pourrais voir cette salive bleue, Grand-mère, oui ou non ?
– Seulement si tu regardes attentivement, répondit-elle. Très attentivement. Tu pourrais voir un peu de bleu sur leurs dents. Mais cela ne se voit presque pas.
– Et si elle crache ? demandai-je.
– Les sorcières ne crachent jamais, répondit Grand-mère. Elles n'osent pas. [...]
– Voilà, dit Grand-mère. C'est tout ce que je peux te donner comme renseignements sur les sorcières : cela t'aidera un peu. On ne peut jamais être absolument sûr qu'une femme n'est pas une sorcière, juste au premier coup d'œil. Mais si une femme porte des gants et une perruque, si elle a de grandes narines et des yeux de glace et de feu, et si ses dents sont légèrement teintées de bleu… alors, file à l'autre bout du monde.

Roald Dahl, *Sacrées Sorcières*, trad. M.-R. Farré, © Gallimard.

S'amuser en compagnie des sorcières

Une fois les sorcières identifiées, seriez-vous prêts à partager leurs distractions ? Vous en déciderez après avoir découvert leurs passe-temps favoris !

Les sorcières adorent se retrouver entre elles. Les cafés matinaux, les tournois de crapette, les sorties en voiture, les parties de tennis et les thés sont autant de bonnes raisons pour entamer de fameuses parlotes. Pour s'amuser après leur goûter, les sorcières regardent la télévision ou se disent l'une à l'autre la bonne aventure dans les feuilles de thé (elles n'utilisent jamais d'infusettes !). Après avoir bu sa tasse, chaque sorcière la passe à sa voisine de gauche qui la fait tourner trois fois dans sa main gauche pour en extraire les dernières gouttes. Les traces laissées près de l'anse représentent l'avenir proche, dans le milieu de la tasse ce sont les événements un peu plus éloignés et, au fond, le futur lointain. Les taches en forme de croix, d'épée, de fusil, de crapaud, de serpent ou de chat sont de mauvais présages. Les taches en lune, en fleur, en trèfle, en corbeau, en arbre ou en sept prédisent une bonne fortune. Essayez d'utiliser ce procédé et n'hésitez pas à demander conseil à votre grand-mère.

Colin Hawkins, *Les Sorcières*, trad. C. Lauriot Prévost,
Harpercollins Publishers Ltd.

Rencontrer une sorcière

Rencontrer une sorcière est une aventure incroyable, me direz-vous ? Et pourtant cela arrive, même si on ne le souhaite pas ! Monsieur Pierre, le nouveau propriétaire d'une charmante petite maison, sait qu'une méchante sorcière habite dans son placard aux balais ; elle n'en sort que si on lui chante, le soir, une fois la nuit tombée, une petite chanson très particulière : « Sorcière, sorcière, prends garde à ton derrière. » Pendant les premiers mois dans sa nouvelle maison, Monsieur Pierre a réussi à se tenir sur ses gardes…

Et puis, au bout d'un an et demi, la maison, je la connaissais, je m'y étais habitué, elle m'était familière... Alors j'ai commencé à chanter la chanson pendant le jour, aux heures où la sorcière n'était pas là... Et puis dehors, où je ne risquais rien... Et puis je me suis mis à la chanter la nuit, dans la maison – mais pas entièrement ! Je disais simplement : *Sorcière, sorcière...*
Et puis je m'arrêtais. Il me semblait alors que la porte du placard aux balais se mettait à frémir... Mais comme j'en restais là, la sorcière ne pouvait rien. Alors voyant cela, je me suis mis à en dire chaque jour un peu plus : *Prends garde...* puis *Prends garde à...* et puis *Prends garde à ton...* et enfin *Prends garde à ton derr...* je m'arrêtais juste à temps ! Il n'y avait plus de doute, la porte frémissait, tremblait, sur le point de s'ouvrir... Ce que la sorcière devait rager, à l'intérieur !
Ce petit jeu s'est poursuivi jusqu'à Noël dernier. Cette nuit-là, après avoir réveillonné chez des amis, je rentre chez moi, un peu pompette, sur le coup des quatre heures du matin, en me chantant tout au long de la route :

Sorcière, sorcière,
Prends garde à ton derrière !

Bien entendu, je ne risquais rien, puisque j'étais dehors. J'arrive dans la grand-rue : *Sorcière, sorcière...* Je m'arrête devant ma porte : *Prends garde à ton derrière !...* Je sors la clef de ma poche : *Sorcière, sorcière,* je ne risquais toujours rien... Je glisse la clef dans la serrure : *Prends garde à ton derrière...* Je tourne, j'entre, je retire la clef, je referme la porte derrière moi, je m'engage dans le couloir en direction de l'escalier...

Sorcière, sorcière,
Prends garde à ton derrière !

Zut ! Ça y était ! Cette fois, je l'avais dit ! Au même moment, j'entends, tout près de moi, une petite voix pointue, aigre, méchante :
– Ah, vraiment ! Et pourquoi est-ce que je dois prendre garde à mon derrière ?

C'était elle. La porte du placard était ouverte, et elle était campée dans l'ouverture, le poing droit sur la hanche et un de mes balais dans la main gauche. Bien entendu, j'essaye de m'excuser :

– Oh ! Je vous demande pardon, Madame ! C'est un moment de distraction… J'avais oublié que… Enfin, je veux dire… J'ai chanté ça sans y penser…

Elle ricane doucement :

– Sans y penser ? Menteur ! Depuis deux ans tu ne penses qu'à ça ! Tu te moquais bien de moi, n'est-ce pas, lorsque tu t'arrêtais au dernier mot, à la dernière syllabe ! Mais moi je me disais : « Patience, mon mignon ! Un jour, tu la cracheras, ta petite chanson, d'un bout à l'autre, et ce jour-là ce sera mon tour de m'amuser… » Eh bien, voilà ! C'est arrivé !

Moi, je tombe à genoux et je me mets à supplier :

– Pitié, Madame ! Ne me faites pas de mal ! Je n'ai pas voulu vous offenser ! J'aime beaucoup les sorcières ! J'ai de très bonnes amies sorcières ! Ma pauvre mère elle-même était sorcière ! Si elle n'était pas morte, elle pourrait vous le dire… Et puis d'ailleurs, c'est aujourd'hui Noël ! Le petit Jésus est né cette nuit… Vous ne pouvez pas me faire disparaître un jour pareil !…

La sorcière me répond :

– Taratata ! Je ne veux rien entendre ! Mais puisque tu as la langue si bien pendue, je te propose une épreuve : tu as trois jours pour me demander trois choses. Trois choses impossibles ! Si je te les donne, je t'emporte. Mais si, une seule des trois, je ne suis pas capable de te la donner, je m'en vais pour toujours et tu ne me verras plus. Allez, je t'écoute !

Moi, pour gagner du temps, je lui réponds :

– Ben, je ne sais pas… Je n'ai pas d'idée… Il faut que je réfléchisse… Laissez-moi la journée !

– C'est bon, dit-elle, je ne suis pas pressée. À ce soir !

Et elle disparaît.

Pierre Gripari, *Contes de la rue Broca*,
La Sorcière du placard aux balais, La Table ronde, 1967.

Devenir sorcier

Peut-être n'y avez-vous pas pensé ! Harry non plus n'avait pas envisagé qu'il pourrait devenir sorcier, et pourtant, le jour de ses onze ans, un géant du nom de Hagrid lui annonce qu'il vient le chercher pour le conduire à la célèbre école de sorcellerie Poudlard dont il doit suivre les cours. Avant d'intégrer cette école très particulière, il lui faut acquérir les fournitures nécessaires à un apprenti sorcier.

Ils étaient devant la gare et il y avait un train pour Londres cinq minutes plus tard. Hagrid, qui ne comprenait rien à « l'argent des Moldus »[1], confia à Harry le soin d'acheter les billets.
Dans le train, les passagers ouvraient des yeux ronds en voyant Hagrid. Il occupait deux sièges à lui tout seul et tricotait quelque chose qui ressemblait à un chapiteau de cirque jaune canari.
– Tu as toujours ta lettre, Harry ? demanda-t-il en comptant les mailles. Regarde un peu la liste des fournitures.
Harry prit dans sa poche l'enveloppe en parchemin. Elle contenait une autre feuille qu'il n'avait pas remarquée auparavant.
Il lut :
COLLÈGE POUDLARD – ÉCOLE DE SORCELLERIE

Uniforme
Liste des vêtements dont les élèves de première année devront obligatoirement être équipés :
1) Trois robes de travail (noires), modèle normal
2) Un chapeau pointu (noir)
3) Une paire de gants protecteurs (en cuir de dragon ou autre matière semblable)
4) Une cape d'hiver (noire avec attaches d'argent)
Chaque vêtement devra porter une étiquette indiquant le nom de l'élève.

Livres et manuels
Chaque élève devra se procurer un exemplaire des ouvrages suivants :
Le Livre des sorts et enchantements (*niveau* 1), par Miranda Fauconnette.
Histoire de la magie, par Bathilda Tourdesac

Magie théorique, par Adalbert Lasornette
Manuel de métamorphose à l'usage des débutants, par Émeric G. Changé
Mille herbes et champignons magiques, par Phyllida Augirolle
Potions magiques, par Arsenius Beaulitron
Vie et habitat des animaux fantastiques, par Norbert Dragonneau
Forces obscures : comment s'en protéger, par Quentin Jentremble

Fournitures
1 baguette magique
1 chaudron (modèle standard en étain, taille 2)
1 boîte de fioles en verre ou cristal
1 télescope
1 balance en cuivre
Les élèves peuvent également emporter un hibou OU un chat OU un crapaud.

IL EST RAPPELÉ AUX PARENTS QUE LES ÉLÈVES DE PREMIÈRE ANNÉE NE SONT PAS AUTORISÉS À POSSÉDER LEUR PROPRE BALAI.

– Et on veut trouver tout ça à Londres ? se demanda Harry à haute voix.
– Oui, quand on sait où aller, assura Hagrid.
Harry n'était encore jamais allé à Londres. Sur les trottoirs, la foule était dense, mais Hagrid était si grand qu'il n'avait aucun mal à se frayer un chemin et Harry restait prudemment dans son sillage. Ils passèrent devant des rangées de boutiques et de cinémas, mais aucun magasin ne semblait vendre des baguettes magiques. La rue dans laquelle ils marchaient paraissait aussi ordinaire que les passants qui les entouraient. Mais soudain, Hagrid s'arrêta net.
– C'est là, dit-il. *Le Chaudron Baveur.* Un endroit célèbre.

J.K. Rowling, *Harry Potter à l'école des sorciers*,
traduit de l'anglais par J.-F. Ménard, Gallimard, 1998.

1. Moldus : personnes qui n'ont pas de pouvoirs magiques.

Bibliographie et filmographie

Pour lire un très grand nombre de contes des frères Grimm

Grimm, *Contes*, coll. « Bibliothèque Vermeille », Hachette, 1978.
Grimm, *Contes merveilleux*, Le Livre de Poche, 1987.
Grimm, *Blanche Neige et autres contes*, Hachette Jeunesse, 1970.
Grimm, *Les Douze Frères et autres contes*, Hachette Jeunesse, 2000.
Grimm, *Le Roi grenouille et autres contes*, Hachette Jeunesse, 2002.
Beaux Contes de Grimm, Hachette Livre/Deux Coqs d'Or, 1994.
Grimm, *Contes*, traduits par Armel Guerne, Hatier, 1987.
Grimm, *Contes*, préface de Marthe Robert, Gallimard, 1976.

Pour lire d'autres contes célèbres

Les Mille et Une Nuits, contes arabes traduits par Antoine Galland.
Hans Christian Andersen, *La Petite Sirène et autres contes*.
Mme de Beaumont et Mme d'Aulnoy, *La Belle et la Bête et autres contes*.
Charles Perrault, *Contes*.

POUR LIRE D'AUTRES CONTES FRANÇAIS

Marcel Aymé, *Les Contes bleus du chat perché* et *Les Contes rouges du chat perché.*
Robert Escarpit, *Les Contes de la Saint-Glinglin.*
Pierre Gripari, *Contes de la rue Broca.*
Jacques Prévert, *Contes pour enfants pas sages.*

POUR LIRE D'AUTRES CONTES ÉTRANGERS

Marie Lauxerois, *L'Eau de la vie, contes allemands.*
Mouloud Mammeri, *Contes berbères de Kabylie.*
Nguyên-Xuan-Hung, *Contes du Vietnam.*
Howard Norman, *Dix contes du Grand Nord.*
Sarah Schulmann, *Contes yiddish.*

FILMOGRAPHIE

Blanche Neige et les sept nains, dessin animé, Walt Disney, 1937.

Imprimé en Italie par

LA TIPOGRAFICA VARESE
Società per Azioni
Varese
Dépôt légal: 45338-04/2004
Collection n° 46 - Édition n° 02
16/8684/9